TODAS AS HISTÓRIAS DE AMOR TERMINAM MAL

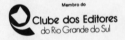

anos

LUCIANO TRIGO

Para Alexandra,

TODAS AS HISTÓRIAS DE
AMOR TERMINAM MAL

a colaboradora mais
versátil (e de olhos mais
bonitos) da LEIA.
    Beijos do

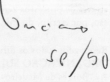

Lucano
se/so

Editora Sulina
PORTO ALEGRE

P.S. Não seja uma crítica rigorosa!

Capa de Liberti, Dupin e Dacosta
Coordenação de texto de Paulo Bentancur
Assessoria editorial de Nara Elias
Supervisão de Sérgio Boeck Lüdtke
Composição e arte de AGE — Assessoria Gráfica e Editorial Ltda.

IMPRESSO NO BRASIL
PRINTED IN BRAZIL

ISBN 85-205-0027-7

À memória de Julio Cortázar

"Eu só tinha um pensamento que,
mais do que um pensamento,
era a ferida que englobava tudo: meu pai"

(Elias Canetti)

Sumário

Segunda chance

Quando ficou mais ou menos claro para mim que meu pai ia morrer, eu já estava de viagem marcada para São Paulo. Menos de duas semanas depois, quando o telefone tocou logo cedo — essas notícias sempre me chegaram pelo telefone —, eu já estava com a passagem na mesa de cabeceira e uma vaga sensação de que ia cometer um erro. Bobagem, o erro já tinha sido cometido. Em cada visita ao hospital, na incapacidade de romper o silêncio e dizer que o amava, dizer que o perdoava e pedir que me perdoasse. "Perdoar o que?", perguntou Débora quando lhe falei sobre isso. Vinte anos atrás, não soube o que responder. Hoje diria: "Minha indiferença".

Viver para mim foi um aprendizado de verdades óbvias. Por exemplo, a compreensão de que o que a gente faz tem conseqüências. Descobri isso quando minha primeira namorada brigou comigo, depois de me surpreender beijando outra, na biblioteca da escola: custei a entender que era natural que ela ficasse magoada e que não quisesse mais ver minha cara. Quero dizer, entendia mas não aceitava, porque me parecia cruel que algo insignificante como um beijo provocasse o fim de tantos sonhos tolos divididos ao longo de dois anos. Em outras palavras, a causa e o efeito me pareciam de uma desproporção absurda.

Outra verdade óbvia que aprendi de um modo doloroso é que o tempo não volta atrás. Sentia que o arrependimento devia ser um preço justo para uma

11

segunda chance — fruto, talvez, de uma má consciência católica forjada num colégio de freiras —, mas o que a realidade teimava em mostrar era que quanto mais eu me arrependia pelo que tinha ou não tinha feito, mais o que tinha ou não tinha feito me parecia definitivo e imutável. Foi assim com a primeira namorada, foi assim na morte de meu pai. De forma que, quando cheguei em São Paulo, decidi que já tinha sofrido o bastante. Dali em diante, seria feliz.

Para alguém rigorosamente despreparado para a solidão — e que, de quebra, acabava de perder o pai — era mais do que óbvio que a felicidade passava pela escolha de uma companhia adequada. Havia porém um elemento complicador: a própria cidade. Gastei seis meses me surpreendendo ao constatar que aqui todo mundo era casado, que a primeira pergunta que me faziam ao ser apresentado a alguém era "Você trabalha onde?" e que a economia afetiva das pessoas estava curiosamente indexada ao seu desempenho profissional. Da surpresa passei ao tédio, e do tédio à irritação. Quando me fizeram entender, por exemplo, que não pegava bem eu sair com uma das secretárias da empresa — bonitinha, aliás, mas rigorosamente paulista no mau sentido do termo —, pensei em, como se dizia na época, "chutar o balde". Não o fiz pelos piores motivos: apego ao salário e às facilidades do emprego, medo de voltar e uma inconfessada necessidade de fugir à lembrança de meu pai. Foi então que conheci Débora.

No fundo, todos os homens são bobos. Para um homem, é sempre uma surpresa descobrir-se capaz de seduzir uma mulher atraente, sobretudo se a iniciativa parte dela. Nesse sentido, a infidelidade masculina me parece mais perdoável, em tese, que a feminina. A traição de um homem pode ser exclusivamente física. Histórica e culturalmente condicionada a se envolver

12

de forma plena, a mulher que trai trai também no plano afetivo. O fato é que as mulheres se recusam a aceitar que os homens sentem e desejam de forma diferente. Se elas compreendessem isso, poupariam muitos problemas em suas relações.

Débora, naturalmente, me chamou de machista quando expus essa minha teoria. Foi mais ou menos na época em que deixei de gostar dela — época, portanto, em que já não me preocupava muito com os efeitos do que eu dizia sobre a nossa relação. Daniel já tinha nascido. Meu pulmão esquerdo já dava sinais da fragilidade que me levaria, imodestamente, a comparar-me a Franz Kafka no fim da vida. Desajustado, com pretensões literárias prejudicadas por um forte sentimento autocrítico, doente dos pulmões. Em suma, um fracasso aparente, sob o qual, secretamente, eu alimentava a esperança de que existisse algo de bom.

"Almoçamos juntos?" Os olhos de Débora brilharam, e compreendi que, de certa forma, ela era uma segunda chance. No restaurante, as bobagens habituais: eu tentando impressioná-la sem parecer pedante, ela correspondendo com cautelosa simpatia às minhas tentativas de aproximação. Uma semana depois, tentei beijá-la, ela se negou, e nesse momento descobri que estava apaixonado. A paixão era um dado absolutamente dispensável, mas também não atrapalhava em nada.

Uma relação só existe no presente. Falar sobre um amor passado sempre soa artificial, porque o que importava já não existe mais, e quando existia estava muito além das palavras. O sentimento é irrecuperável, o que equivale a dizer que a memória de um sentimento é o próprio sentimento. Ainda assim, dá para afirmar que era o fato de sermos completamente diferentes que fazia funcionar a relação entre mim e Débora.

13

Éramos, digamos, complementares. Sozinho, não gostava de viajar, por pura preguiça; com ela, viajei bastante. Suponho que ela, por sua vez, passou a gostar mais de literatura e cinema por minha causa. Seja como for, nos dávamos bem o suficiente para cumprir um a um todos os passos do ritual milhões de vezes repetido, até o mais sério deles: Daniel.

Quando era jovem, afirmava que jamais teria um filho. Qualquer psicólogo recém-formado não teria dificuldades em atribuir isso à delicada relação que eu e minhas irmãs mantínhamos com nossos pais, espécie de coexistência armada sempre pronta a se transformar em conflitos de intensidade variável. Como único filho homem e como caçula, acho que devia estar menos exposto a essas crises, mas o fato é que não queria ter filhos. Isso só mudou quanto tive a intuição de que morreria cedo. E, com o nascimento de meus sobrinhos, descobri que gostava de crianças. O remorso em relação a meu pai deve ter ajudado a criar em mim a estranha necessidade de deixar a alguém o legado da minha miséria. Por fim, a vocação para a maternidade de Débora fechava o quebra-cabeças.

Não consigo encontrar melhor maneira de descrever o que aconteceu ao meu casamento depois do nascimento de Daniel que compará-lo à relação de Marcello Mastroianni e Jeanne Moreau no filme *A noite*, de Antonioni. Mastroianni absolutamente entediado — apesar da fama como escritor, da mulher ainda bonita — era como a minha imagem no espelho. A parede de plástico que me impedira de estabelecer um verdadeiro contato humano com meu pai agora surgia entre mim e Débora. Incomunicabilidade.

Maus filhos não costumam dar bons pais, e eu não fugi à regra. Meu cansaço em relação a Débora me tornava extremamente impaciente com as chatices

14

características de uma criança. Não vi meu filho crescer. Passei a mergulhar em meu trabalho para chegar mais tarde em casa e não ter que tolerar suas gracinhas. Deixei de fazer amor com Débora. Quando Daniel fez cinco anos, estávamos virtualmente separados, apesar de morarmos na mesma casa. Na festinha de aniversário, Daniel me olhou como quem olha um estranho. Retribuí o olhar.

Ontem Daniel fez 20 anos. Ontem descobri que estou condenado. Não sei se é mais difícil saber que vou morrer ou depender inteiramente de Débora, que insuportavelmente permaneceu a meu lado apesar de mim, de outras mulheres. Mas tem uma coisa que é pior que tudo isso, seguramente. É o rapaz com a barba por fazer que vem me visitar e me olha com um jeito meio hesitante, agora que ficou mais ou menos claro para ele que eu vou morrer. Gostaria que ele me dissesse que me perdoa, e me pedisse para perdoá-lo.

Outro encontro

Encontraram-se no local combinado, ela de branco, ele sorrindo porque um pouco nervoso. O beijo na face foi mais seco e mais rápido que da primeira vez, e não eram o frio e o vento que tornavam menos macia a pele de seu rosto, ou sua boca. A expectativa até ali tinha flutuado sobre os dois, mas subitamente se coagulava e desabava no espaço onde de qualquer maneira já não cabia naturalidade. Em seu lugar naturalmente o esforço de manter afastado o peso das experiências que não tinha vivido, ilusoriamente bem sucedido até o instante do encontro. Ela veio de branco; ele sorria e estava nervoso.

Tinha tanto em quê pensar que mal se dava conta de estar ali de verdade, e com ela. Difícil era abandonar o hábito de estar com ela em pensamento, quando os silêncios não eram constrangedores como agora, nem as palavras tão fugidias. Do outro lado da mesa ela o olhava com ar de meiga espera, o cigarro apagado na mão sugestivamente diante de uma luz oculta. Em casa também acontecia assim, momentos de passageira hipnose dos quais ele saía envergonhado, com a pressa que geralmente era a frase que chegava tarde demais e que agora era apalpar os bolsos em busca do isqueiro e da certeza de não tê-lo esquecido. Sua mão tremia um pouco ao acender o cigarro, e ele silenciosamente maldisse os obstáculos que já surgiam em tantas de suas formas. Ela percebeu mas fingiu que não, ou fingiu que fingia que não, enquanto um ligeiro sorriso e um piscar mais longo dos olhos eram sua forma de agradecer. Elegante como todos os seus gestos, exatamente como a tinha imaginado a partir de momentos breves em que se cruzavam nos corredores da empresa, ou mais ainda.

Num desses momentos a coragem de se aproximar, de perguntar as horas depois de esconder o relógio no bolso, uma tolice que tinha visto em algum filme americano. Mas no filme havia sempre a conversa, tão fácil quanto agradável, enquanto ali o olhar que ela lhe devolvia já bastava para desarmá-lo, até o ponto de mal poder repetir a pergunta que a tensão tornara incompreensível em sua voz já naturalmente baixa. Agradeceu arrependido pela chance desperdiçada, pela certeza de que nunca mais poderia sequer voltar a olhá-la. Mas algo em sua voz soou mais doce do que o silêncio que seria de se esperar. Buscando seus olhos ao movimentar o rosto lhe perguntou em que andar era sua sala, mas o que vinha além das palavras em sua voz e em seu olhar davam um outro sentido ao que dizia, quase um convite que apesar da vergonha não poderia recusar, mesmo porque tinha mesmo que subir naquele instante. No elevador, a seu lado, imaginou o que teria feito para não subir com ela, caso tivesse existido o silêncio onde ele o esperava, e apenas pensar era já um outro motivo para um outro arrependimento que se somava ao primeiro, mas que ainda assim era menos do que o inesperado sentimento de um risco assumido e superado da melhor maneira possível.

Não foi difícil provocar outros encontros, sozinho em casa era extremamente simples imaginar situações em que se cruzarem por um corredor não só era inevitável mas também tinha a vantagem de parecer natural, e ela jamais iria além da aparente casualidade que a coincidência explicava de maneira tão simples. Coincidência que se repetia com uma freqüência suspeita, mas justamente aí a suspeita se tornava positiva, uma vez que mais cedo ou mais tarde teria que tornar mais claras suas intenções, para ela como para si mesmo. Mas a agilidade presente na solidão com que deixava que a sua lembrança ocupasse as noites quase desaparecia quando ela se fazia presente, como se no fundo não acreditasse no sucesso de seus planos, que pareciam encaminhá-lo, e a ela, em direção a algo que depressa demais se transformava de um sonho em realidade. Agia como se não acreditasse muito no que lhe acontecia, mas involuntariamente, de modo que só na forma seu comportamento era assim, e não por dentro. Igualmente só na forma a tinha agora diante de si, próxima como jamais imaginara possível, mas por dentro de algo que não era ela ou ele tão distante e inacessível.

As palavras se perdiam com uma rapidez que não era possível ignorar, só no silêncio o tempo parecia retomar seu ritmo habitual, quando ele sorrateiramente desviava o olhar do prato ou do vinho em direção ao perfume que desejava tanto sentir mais de perto, tocá-lo com as mãos e a boca, tê-lo só para si. Mas sabia que pensá-lo era a maneira errada de chegar onde queria, e afastava tão rapidamente quanto podia os pensamentos que costumava ter ao pensar nela. Preenchia o vazio que restava com uma pergunta invariavelmente mal formulada, ou não tão bem formulada quanto desejava. Passavam-se assim mais alguns minutos em que falavam do trabalho, da função que ele exercia, que ela exercia. Para então outro vazio, dentro dele e entre os dois, e na terceira ou quarta vez já não era possível voltar a falar de empresa, mas como introduzir o cinema ou a política ali onde já era tão penoso falar de algo que dominava, o seu trabalho?

Mais de uma vez se deparou com o abismo que o separava cada vez mais daquele rosto que já lhe pare-

18

cia menos meigo que conformado com a perda de tempo que era o jantar. Claro que desde o início tinha pulsado o fracasso ali onde tinha depositado tantas esperanças — e talvez por tê-las depositado, justamente — e claro que não havia um só motivo, que cada segundo tinha sido um passo em direção àquilo que dali a pouco seria a despedida inevitavelmente amarga, a vergonha e a tristeza competindo dentro dele com determinação. Mas ainda assim teve a impressão de que tudo se dava num só momento, como se algum ponto que já mergulhava num passado perdido insondável — pela melancolia e pelo vinho — tivesse se dado a ruptura fatal, para então a impossibilidade de voltar atrás e retomar o caminho que seguramente o conduzia a bem mais que aquilo que o presente abrigava, e o futuro.

A partir desse momento já não havia por quê simular um bem estar que desde o primeiro segundo lhe teria parecido pouco natural, a ela que seguramente tinha uma prática tão mais rica naquele campo cuja superfície ele mal chegava a arranhar. Cada palavra e cada gesto seu pareciam tolos mesmo a ele, e não só os daquela noite que já se encaminhava para o precoce desenlace, mas também tudo o que tinha feito para torná-la possível, as horas solitárias preenchidas por uma felicidade cheia de esperança infantil de que pudesse enganá-la, ocultar-lhe sua falta de jeito e de charme onde eles se faziam tao necessários.

Não tinha sido capaz de perceber que a ilusão não podia ir além dos encontros de dois ou três minutos nos corredores da empresa, onde era quase fácil encontrar o que dizer. Sempre acontecia algo engraçado e era mesmo mais fácil elogiar seu penteado ou seus brincos, sabendo que um minuto depois o arrependimento não a encontraria com ele. Foi assim que pouco a pouco criou coragem para o convite, numa tarde em que ela estava particularmente bela tocou em seu braço para que o acaso se desfizesse também no tempo e na aparência, para retê-la em vez de adiar para depois do fim de semana uma oportunidade que podia não se repetir naquele dia. Já então as palavras não foram as que queria, o convite veio rápido e seco demais, mas não a ponto de se transformar em palavras e tristeza, porque o sorriso e o sim vieram antes. Teve medo de escolher o restaurante ou a hora, era tão inacreditável que ela tivesse aceitado que tinha a impressão que qualquer outra palavra seria demais, um toque desnecessário em algo cheio de perfeição. Mas era inevitável, errado seria ignorar as convenções nesse momento, e no final das contas a hora e o local pareceram satisfazê-la, embora talvez a ligeira impressão de que era cedo demais, imediatamente após ouvir a sugestão de sua própria boca.

Agora diante de seus olhos se revelava a verdade da ligeira impressão que a súbita e inesperada felicidade de um segundo depois não deu tempo de se transformar em pensamento. Porque evidentemente era cedo, terminavam já e apenas agora começavam a encher o restaurante os fregueses habituais, casais em que a aparente segurança de cada gesto certamente não ocultava como nele o mal-estar de sentir as palavras morrerem na garganta, quando elas surgiam na imaginação. De súbito compreendeu que esse inocente deslize havia sido antes causa que obstáculo à aceitação do convite, e diante da alternativa que até ali tinha prevalecido — acreditar que ela não achara cedo, que costumava jantar àquela hora ou que não tinha o hábito de jantar fora — essa hipótese parecia irresistivelmente verdadeira. Se, apesar da timidez que envolvera o convite que já começava a se tornar motivo de arrependimento, ela aceitara, não era porque não tinha nenhum programa para aquela noite de sexta-feira e muito menos

20

porque preferisse ele a sair com outra pessoa — uma vez que não deveriam faltar convites dessa natureza, sendo ela assim, como era. Não, doce tinha sido a ilusão de acreditar inocentemente em uma hipótese tão absurda, mas agora as máscaras caíam, e quase sentiu raiva quando enfim formulou para si mesmo a verdade que o tinha envolvido sem que se desse conta, a certeza de que por detrás da repentina pressa que ela demonstrara estava um outro encontro, aquele que o jantar não podia atrapalhar. E por isso convinha que fosse tão cedo, olhar para ela era já ouvir sua voz agradecendo com fria gentileza antes que as palavras ocupassem a sua voz, antes que fosse ela a dizer "agora tenho que ir", o compromisso importante com alguém que não seria tolo como ele, alguém que um dia também a teria convidado para jantar mas que não havia permitido que tudo terminasse assim, a solidão já pulsando antes mesmo da despedida, o silêncio no carro a que já não opunha resistência, e ela. Afogou várias palavras no esquecimento, frases inacabadas que se permitisse seriam desculpas ou a inútil tentativa final de mudar o rumo dos acontecimentos. Não, melhor o silêncio, uma vez que também ela parecia ter-se rendido à barreira invisível que surgira entre os dois, e uma vez que se sentia magoado, embora a culpa fosse toda sua.

O que não impedia a raiva de voltar-se também contra ela, o ciúme mesquinho e infantil de saber que dentro de uma hora para ele a solidão e a melancolia, e para os braços de outro ela, e para ela outro. Talvez já a esperasse mesmo dentro de casa, talvez o champanhe esfriando e algumas velas acesa, talvez no quarto, na cama. Desceu do carro para acompanhá-la até a porta, apenas para saber como viria o não, conformado por antecipação a uma recusa que mal podia ser chamada assim, que em momento algum seria surpresa. Abriu a porta devagar e dois segundos de silêncio passaram

21

antes que voltasse o rosto para ele. Já murmurava uma despedida, pronto e disposto a ir embora e mais uma vez envergonhado, por si mesmo e por ela. Não pôde manter o olhar, iniciou com o rosto o movimento que o resto do corpo não acompanhou, uma vez que ela o envolvia com seus braços e sua boca procurava a dele, e seu perfume era tão suave. Obedeceu sem pensar à voz que nunca tinha sido tão meiga, os olhos surpresos e fixos nos dela, as mãos sem querer buscando seu corpo. "Entre", ela pediu, e sem se separarem fecharam a porta.

Ninguém pode saber

Não há pior solidão que a companhia de um desconhecido que, sabe-se lá por quê, decide contar toda a sua vida a você. Pensando assim, meu primeiro impulso ao ver o rapaz louro que se aproximava foi levantar da mesa e ir pagar a conta diretamente no caixa. Alguma coisa me impediu. Talvez a possibilidade, mais que remota, de que ele fosse outro brasileiro preocupado com a onda de atentados de árabes contra israelenses, ou vive-versa. Era argentino e, naturalmente, judeu. Saíra de Buenos Aires com 400 dólares na mochila seis meses antes. Agora planejava voltar.

— Turista?

Assenti com um gesto da cabeça, tentando dar a entender que preferia ficar sozinho, mas ao mesmo tempo procurando não parecer muito antipático.

— Está ficando difícil encontrar turistas. O movimento nos hotéis caiu 80% nas últimas duas semanas.

— Como você sabe?

— Trabalho como maleiro.

Minha curiosidade se acendeu. O que leva um rapaz de vinte e poucos anos, aparentemente bem nascido, a trabalhar como maleiro de hotel a milhares de quilômetros de seus amigos, de sua família? Lembrei de um colega de faculdade que fizera o mesmo: resolveu que estava apaixonado por uma italiana que conheceu no Rio e se mandou para Roma, com pouco mais que uma mão na frente e outra atrás. Meses depois me mandou um postal de Paris, uma foto de Brigitte Bardot em seus bons tempos. "Rapaz, você ia se amarrar nas mulheres daqui". Na época, pensei que Brigitte não era exatamente o que se pode chamar mulher européia média. Anos mais tarde, verifiquei que tinha razão.

Com voz pausada e estimulado pela cerveja, o rapaz me contava, uma após outra, as aventuras vividas em sua viagem. Contou como foi assaltado no ano novo judaico, em Londres, e como isso o fez duvidar da existência de Deus. Contou como conseguiu comprar sua passagem para o continente graças à boa vontade de um comerciante que expôs todas as roupas que restaram em sua mala na vitrine de uma loja no centro, e como o mesmo comerciante recusou receber qualquer comissão por isso. Contou como em Paris se apaixonou por uma adolescente argentina filha de exilados que preferiram não voltar, e como ele achou estranha que aquela menina ruiva já fosse, de certa forma, mais francesa que argentina. Contou como em algumas cidades lhe fechavam as portas porque era judeu, fosse por medo de represálias terroristas após os últimos acontecimentos ou...

— Ou simplesmente por ser judeu.

— É, ou simplesmente por ser judeu — ele concordou, sem mudar o tom de voz.

Ele se calou, mas algo em seu olhar me fazia entender que tudo aquilo não era mais que um preâmbulo, que outra coisa o perturbava, e era outra coisa que ele queria contar. Disse, por fim, que queria ser meu amigo, e eu respondi com um gesto de quem não sabe que gesto fazer.

— É triste ficar sem amigos longe de seu país — prosseguiu, após tomar fôlego e pedir mais uma garrafa — Eu tinha um amigo, mas ele morreu na semana passada. Suicídio.

24

Nesse momento, me arrependi de não ter obedecido ao primeiro impulso de pagar a conta e ir embora. Agora teria que ficar ali e ouvir uma maluquice qualquer de um rapaz que o álcool e o exílio transformavam em sentimental e falante.

Estava enganado. O amigo suicida era um jovem palestino, da mesma idade que ele, que passara, como ele, por experiências semelhantes, fora assaltado, ficara apaixonado e, como ele, tinha ido parar naquele hotel em Tel Aviv, onde o empregaram como maleiro.

— Fomos pedir emprego juntos. Ele era mais forte do que eu, provavelmente habituado desde a infância ao trabalho braçal. Lembro de uma noite em que, após nos divertirmos muito, me chamou a um canto e disse, muito sério, que ele não era palestino e que eu não era judeu, que éramos simplesmente amigos. Respondi que não, que eu era judeu, e ele palestino, e que era justamente isso que tornava nossa amizade tão forte.

Agora que escrevo, isso pode parecer bobagem, mas na hora me emocionei e pensei, tolamente, que no fundo todos os homens são iguais e que, de certa forma, já me sentia amigo daquele rapaz desconhecido. Mas ele não tinha terminado.

— Isso foi há pouco menos de um mês. Depois veio a onda de atentados a bomba, essa história toda que você já conhece. Os turistas europeus e americanos, apavorados, debandaram em massa, e a direção do hotel decidiu reduzir à metade o número de funcionários. Na noite em que soubemos isso, fizemos um passeio pelo centro da cidade. Tentando analisar nossa situação de forma objetiva, lembro de ter dito que quem devia ser mandado embora era eu porque, apesar de falar mais idiomas, não conseguia carregar tantas malas quanto ele.

O jovem à minha frente engoliu em seco. Tive a impressão de que ele estava prestes a chorar.

— E então? — perguntei, para encorajá-lo.

— Ele parou de caminhar e disse que não, que o cortado seria ele. Não porque ele não precisasse, como precisava, muito mais daquele emprego do que eu, nem porque ele não fosse mais forte, e carregasse mais malas, mas porque — simplesmente porque — ele era palestino, e eu judeu.

Naquele momento compreendi todo o significado daquela noite. Há pessoas que passam pela vida sem fazer esforço, pensei, e pensei também que era assim que devia me avaliar aquele jovem desconhecido, como um turista endinheirado que se hospedava no hotel em que ele tinha que trabalhar como maleiro para sobreviver. Outras pessoas, porém, são chamadas a todo momento a fazer escolhas difíceis. Poucas semanas antes aquele rapaz tinha passado uma noite em claro, pensando se devia ou não se desligar do emprego, caso o amigo palestino fosse demitido.

O fim da história importa pouco. Apesar de sentir-se secretamente cúmplice de algo injusto — mais que injusto, quase monstruoso — ele decidiu permanecer no hotel. Quem pode afirmar que a decisão contrária teria salvo a vida do amigo, solitário, desempregado e palestino? Quem pode afirmar que não?

Eram quase duas da madrugada. Paguei as cervejas e saí.

Daydreaming

Às vezes tenho vontade de contar tudo a ela, mas é só nos encontrarmos para eu pensar melhor e desistir, coisas assim não se formulam. E então um ligeiro mas agudo sentimento de culpa como se a estivesse enganando, traindo uma relação que desde o início não deu espaço para segredos. Bem, há sempre uma primeira vez, e além do mais insisto tolamente em pensar que não vai mais acontecer, que não vou mais acordar no meio da noite suando frio depois de ter sonhado outra vez com Renata — o mesmo sonho de sempre, que já me ocupa há tantas noites que nem me lembro desde quando passei a sonhá-lo, ou se foi sempre assim, como nessa última semana, tão espantosamente verdadeiro, em cada mínimo detalhe —, sofrendo ainda durante alguns segundos a ilusão de que não é um sonho, até escapar definitivamente daquela fronteira nebulosa entre sono e vigília, entre fantasia e realidade.

Para ser franco, soube desde o início que não iria mesmo dizer nada, não à Renata, sempre tão disposta a preocupar-se com bobagens dessa natureza, sempre pronta a buscar no vazio sintomas de eventuais problemas na relação ou de um suposto declínio de meu amor. Imaginem só a expressão de seu rosto ao escutar os primeiros e chocantes detalhes do sonho — porque sonhos assim não se podem contar vagamente, se não se pode ser fiel é melhor ficar calado —, ao escutar como eu fui capaz de planejar tão friamente sua morte. Antes mesmo que eu acabe essa fase

27

preliminar, Renata já terá vinte e duas razões para supor que não gosto mais dela, porque todo mundo sabe que os sonhos são desejos reprimidos, sem falar em Freud e na psicanálise que felizmente já a convenci a abandonar. No mínimo, ela dirá que sou um pré-edipiano recalcado ou coisa parecida e me recomendará o seu antigo analista, que depois de consumir quatro ou cinco anos de minha vida e uma pequena fortuna me abrirá os olhos para a mediocridade da minha existência. Ora, para chegar aí não preciso nada disso, estou desde já convencido de que minha vida é mesmo medíocre e que amarei Renata para sempre, mesmo que o pesadelo continue a me atormentar durante meses.

Mas um dia chegou o momento em que não era possível resistir à tentação de dividir com alguém a certeza de que não tinha com que me preocupar (ouvi-lo de outra pessoa sempre alivia mais do que si mesmo), e excluída Renata não me restavam muitas opções, além de um ou dois colegas do escritório e de Heloisa. Fiquei com esta última, satisfeito com o argumento de que sendo minha secretária há tanto tempo não havia nada demais numa conversa extra-profissional — como tantas outras. Digo-o apenas por dizer, qualquer outro argumento bastaria num caso em que não havia precauções a tomar, mas ocorre que sempre há uma hora ou duas durante o expediente em que não resta nada a fazer a não ser preencher o tempo jogando conversa fora com a secretária. Ou o cafezinho ou um cigarro, mas essas são saídas temporárias. E no final das contas de novo Heloisa, e não há porque evitá-la, sua conversa é até agradável.

Pois bem, numa tarde dessas veio a conversa, quando por um estranho acaso Heloisa, particularmente bem vestida, me chamava pela primeira vez a atenção para uma beleza até então oculta no uniforme um tanto sem graça, que agora deixava de ser obrigatório e que talvez a tornava mais velha. Talvez nem estivesse assim tão elegante, mas o fato de eu estar habituado a vê-la de uniforme dava um sabor especial à saia justa aberta lateralmente na altura dos joelhos, e à blusa com um decote quase provocante.

Enfim, não importa como estava vestida, quero dizer, isso se tornava secundário à medida que eu introduzia na conversa que já tinha sido a política e o acidente de avião o sonho que irritantemente já se tornava importante a ponto de se transformar em assunto naquele dia. Fiquei surpreso com a não surpresa de Heloisa, esperava no mínimo uma indiferença fingida, mas o que eu via era um sorriso e um ligeiro brilho no olhar, como uma criança que aprende as regras de uma brincadeira nova e mal pode esperar para pô-las em prática. Talvez fosse assim para ela, um jogo de adivinhação no qual se mostrava extraordinariamente habilidosa, antecipando-se às minhas palavras e me chamando a atenção para detalhes que a mim mesmo tinham passado desapercebidos. Assim, por exemplo, soube por que escolhera enfim o veneno, opção que até ali atribuía ao acaso, como tudo mais dentro do sonho. Tendo começado na empresa como laboratorista não me seria difícil escolher a substância e a dose necessária não só para atingir o resultado desejado como também para não deixar provas comprometedoras.

Nem foi preciso chegar até o fim, à conclusão óbvia de meus dedos procurando no pescoço frio de Renata a pulsação inexistente, os olhos sem vida e assustadoramente fixos num canto da parede, os cabelos longos cobrindo minha mão trêmula. Heloisa já compreendia tudo, e o silêncio que se seguiu estabelecia uma comunicação mais completa que qualquer diálogo, embora aparentemente um certo mal-estar começasse a pulsar no lugar da conversa. Por fim nos levantamos, como que despertados no mesmo instante para a realidade do escritório da qual havíamos estado ausentes durante alguns minutos. Sem querer nossos corpos se tocaram, presos no espaço entre minha mesa e o fichário, senti meu rosto ficar vermelho, e mais ainda quando Heloisa, de costas para mim, virou o rosto e sorriu. Ainda bem que nesse instante tocou o telefone, porque de outra forma seria difícil agir com naturalidade. E logo em seguida tive que examinar um relatório de cento e vinte páginas, não houve mais tempo para conversas, e o trabalho me consumiu de tal maneira que nem pude pensar no sonho.

Isso foi na sexta-feira, contrariando meus hábitos trouxe o relatório para casa. Ontem não tive tempo nem paciência de ler, sabe-se lá por quê não consegui parar de pensar naqueles dois ou três segundos que durou o sorriso de Heloisa, involuntariamente colada a mim, daquela maneira. De tarde, para ocupar as horas que custavam a passar, voltei a abrir o depósito onde se guardam as velharias que tolos laços afetivos me impedem de jogar fora, embora não me sirvam para nada. Em duas caixas de papelão estavam os tubos de ensaio e os recipientes que eu usava nos meus estudos de farmácia. Alguns ainda estavam surpreendentemente cheios, como se pudessem me ser úteis. Peguei dois ou três e levei para o banheiro — ainda estão lá, no armário. Só de brincadeira preparei o veneno, Renata ultimamente vinha reclamando das baratas que vinham do jardim. Talvez servisse, se os ingredientes não estivessem oxidados.

Detesto os domingos. Renata e eu somos muito caseiros, mas se ficar sem fazer nada de importante durante um dia é agradável, durante dois já começa a se tornar incômodo. O tédio me invade de uma maneira insuportável, passo de uma atividade e outra com um desinteresse que às vezes nem Renata consegue

30

atenuar. Hoje é um desses dias em que, talvez para manter afastado de meus pensamentos o sonho, outra vez eu inconscientemente a esteja evitando, não sei. O fato é que a perspectiva de conversarmos não me anima muito, se já sou calado por temperamento, agora que todos os meus pensamentos se dividem entre o sonho e incidente do escritório (dois assuntos proibidos, a lista já começa a crescer) é que não me sentirei mesmo capaz de comunicar-me com ela. Assim, pela manhã voltei a me ocupar do veneno, pulverizei a porta que dá para o jardim e as janelas, no que gastei uma hora. Ainda sobrou um pouco, não sei ainda o que vou fazer. Por hora guardo-o num frasquinho no bolso da calça.

Como já disse, na noite passada outra vez o sonho, que dessa vez foi um pouco pior que das outras, talvez justamente porque depois do episódio com Heloisa no escritório existisse em mim uma tola esperança de que de alguma maneira o seu conteúdo se modificasse. Como em tantas outras noites me debati até a exaustão entre as alternativas mais simples e perigosas, como o punhal e o revólver, antes de me decidir pelo veneno. Esperei que ela se afastasse para despejar o frasco inteiro na comida e, curiosamente, a lembrança do corpo de Heloisa colado ao meu e de seu sorriso me incentivavam ainda mais a levar a cabo algo que até ali apenas sonho. Depois do almoço Renata se queixou do inesperado sono e foi se deitar. Depois de uma hora entrei no quarto e meus dedos foram direto ao seu pescoço, um movimento ensaiado milhões de vezes, até sentir a já sentida ausência de vida, os cabelos longos caindo sobre minha mão. Só que desta vez não despertei, não sei por quê custo a escapar do sonho que aida agora me parece tão real, tão real.

31

Suspeita

"Agora deixe eu tirar as fotos", ele tinha dito, as mãos tateando o interior da bolsa em busca da máquina. "Ah não!", ela respondeu, afundando um pouco mais e preguiçosamente o rosto no travesseiro, descobrindo sem querer um pedaço das pernas. Lucas puxou as cortinas para que entrasse mais luz no quarto. Seu rosto desapareceu atrás da máquina, a mão direita ajustando o foco. "Você prometeu". "Está bem, mas deixa eu colocar o chapéu". Ilana saltou da cama e correu até o armário, com uma agilidade que combinava pouco com o sono de minutos antes. "Onde você quer que eu fique?" "Naquela cadeira." "Assim está bem? "Ótimo, muito bom mesmo".

Depois se despediram, no elevador Lucas sentiu nascer novamente o desejo, apertando o corpo de Ilana contra o seu. "Por favor, aqui não", ela sussurrou, sorrindo e beijando sua orelha enquanto o afastava de si. Claro, claro, Lucas por um instante pensou em ficar um pouco, amá-la mais uma vez, sentir de novo a maciez de seu corpo. Mas não era conveniente, Paco a essa altura já estaria esperando no escritório, tinha muito o que fazer. Foi para o trabalho falsamente resignado, a paixão pulsando dentro dele e uma ansiedade quase incômoda fazendo seu coração bater mais depressa e embaralhando os seus pensamentos. A lembrança das fotografias o acalmou, à noite revelaria o filme enquanto Cláudia não chegasse. Nos últimos meses tinha inventado essa história de voltar a dar aulas,

32

Lucas a princípio achara bom, como ela mesma alegava uma boa forma de ocupar o tempo. Mas não sabia ainda os horários, e se por um lado o emprego da mulher criava novas possibilidades de encontrar Ilana, por outro algo parecido com o orgulho ficava ferido dentro dele, a estranha e desagradável sensação que o invadia ao chegar em casa sem que ela o esperasse.

Mas não havia nada a fazer, nos dias de hoje o poder do marido em problemas assim é menos que nada, e depois se falasse alguma coisa aí mesmo é que ela teimaria, todo mundo sabe como são as mulheres. Melhor calar, mesmo porque em algumas daquelas noites em que para Cláudia as aulas para ele Ilana, e o fato de ter sido substituído, ainda que apenas por uma hora ou duas, pelo novo trabalho, de certa forma o isentava de culpa. Ou pelo menos do sentimento de culpa que de vez em quando surgia sob a forma de uma ligeira tristeza. Ligeira demais, uma gota que logo desaparecia com a primeira e arrebatadora onda do desejo, com o primeiro instante que se transformava em espera. Podia ser no telefone, a voz suave e sensual de Ilana comunicando que Paco ficaria até mais tarde no escritório, que Paco iria visitar a família e que uma dor de cabeça a impediria de ir, enfim que por um motivo ou outro Paco não estaria em casa. A partir daí cada segundo era uma ansiedade só, um sentimento que crescia como uma bola de neve e que parecia a ponto de explodir a todo momento. Algo que ele nunca sentira antes, ao menos não naquela intensidade quase violenta que envolvia sua atração por Ilana.

Ou talvez sim, mas há muito, muito tempo. Ou talvez nem tanto assim, uma vez que há apenas cinco anos Cláudia e ele tinham casado, um tempo surpreendentemente pequeno quando pensava na distância infinita que o separava do jovem apaixonado que ficava nervoso só de ligar para Cláudia e que quase não conseguia falar ao conhecer sua família, ou ao apresentá-la à dele. Parecia lembrar-se de tudo aquilo como se não se tratasse dele, como se outro tivesse vivido aquelas experiências que ele sabia suas. Era surpreendente mas era verdade, chegara a sentir por Cláudia uma paixão tão intensa quanto a atual — talvez um pouco menos desejo e mais algo que pode se chamar de afeto ou carinho, mas no final das contas a intensidade era a mesma — e essa paixão desaparecera com o passar do tempo.

Mas o mesmo não ocorreria com Ilana, estava mais maduro e consciente de seus atos, não se deixaria enganar outra vez por uma ilusão, como a que o fizera casar-se com Cláudia. Porque dessa vez não era uma ilusão, de alguma forma ele tinha certeza, de alguma maneira que não eram as palavras mas que era muito mais que elas, naquele terreno onde as palavras importam tão pouco. E assim conseguia afastar a culpa, ao mesmo tempo em que as recentes ausências de Cláudia serviam também para tornar mais suportáveis os momentos que passavam juntos. Porque, apesar de tudo, chegar em casa e não encontrá-la num dia em que Ilana não podia encontrar-se com ele era quase igual à saudade, quase pensar que afinal de contas ainda gostava de Cláudia um pouquinho.

Especialmente naquela semana, em que, a pretexto das provas de fim de bimestre, Cláudia chegaria tarde em casa todos os dias, saindo bem cedo pela manhã. Claro que naquele dia havia sido ótimo, Ilana apaixonada e especialmente sensual, sem falar nas fotografias. Ele próprio revelou o filme, um involuntário hobby provocado por um inesperado presente — um ampliador, um tanque de revelação, a lâmpada de segurança e outros apetrechos — de um primo que ia mudar para um apartamento menor onde não havia espaço para o laboratório. O negativo saiu perfeito, com o tempo Lucas tinha adquirido uma prática que tornava

34

quase nulas as chances de algum acidente imprevisto. Enquanto o filme secava pensou que guardaria as fotos no álbum que comprara especialmente para isso, já cheio pela metade. Sabe-se lá por que pensou em Paco, no azar que ele tinha tido de mais uma vez ser escalado para uma viagem, durante aquela semana. Inacreditável a freqüência com que isso ocorria, Lucas espantava-se que o amigo não protestasse, mas em todo caso melhor para ele, assim Ilana ficava livre, à sua espera. Inevitável pensar que agindo assim Paco quase merecia ser traído, uma mulher como Ilana não se deixa sozinha por uma semana, era quase um consentimento.

O negativo secou rapidamente, Lucas consultou o relógio e pensou que teria tempo de ampliar uma foto ou duas. Escolheu aquela que pensava ser a melhor — a primeira, em que Ilana estava sensualmente sentada na cadeira que Lucas indicara, consciente ou inconscientemente provocante, um olhar entre desafiador e hesitante fitando a objetiva. Mergulhou o papel fotográfico na bacia com revelador, e depois de alguns segundos começou a repetir-se a mágica de sempre, a imagem surgindo pouco a pouco e vermelha diante de seus olhos. Lavou com cuidado o papel antes de jogá-lo no fixador, dispunha agora de doze minutos para fumar um cigarro ou atender o telefone.

Era Ilana quem o chamava, com sua voz mais feminina repetindo convidativamente o já sabido, que Paco não estava, que se sentia sozinha no apartamento. Sabia que era loucura corresponder, que Cláudia chegaria a qualquer momento e se ele não estivesse levantaria suspeitas, mas a fotografia despertara dentro dele uma saudade irresistível, e não foi difícil bloquear com o desejo os argumentos contrários à ida. Antes de sair mergulhou a foto no tanque com água, pelos seus cálculos poderia estar de volta em duas horas, uma desculpa qualquer surgiria no caminho. Trancou o laboratório e partiu, com medo de encontrar Cláudia no elevador ou na portaria.

Ilana o recebeu sem palavras, depois de um primeiro instante em que seus olhares mal puderam se cruzar ela o abraçou com força, e Lucas pôde sentir através da camisola que ela usava — presente de Paco, ela lhe dissera uma vez, fazendo com que pensasse na coincidência de também ele ter dado a Cláudia uma camisola assim — a maciez morna de sua pele, nua sob o tecido transparente. Com uma tranqüila naturalidade Ilana se esfregava em seu corpo, envolvendo com a mesma chama que já a dominava o amante, enquanto suas mãos já desvendavam os mistérios que a camisola mal ocultava contornando sua cintura, acariciando suas coxas, alisando seus seios. Beijaram-se sofregamente durante o amor, Ilana movimentava seu corpo cadenciadamente, desejando mais e mais ser levada ao delírio, suspirando incontrolavelmente, à medida que se aproximavam do fim. Atingiram juntos o clímax, depois Lucas sentiu desprender-se do seu o corpo suado de Ilana e com a respiração arfante se entregou ao silêncio do sono.

Acordou bem mais tarde do que planejava, só pôde chegar em casa de madrugada, mas Cláudia não estava lá. Um turbilhão de pensamentos contraditórios o invadiu: era ao mesmo tempo bom e mau que ela não estivesse, porque ao mesmo tempo ela não saberia mas tampouco ele, e por outro lado a foto que já devia estar pronta, e subitamente o pensamento de que ela já havia chegado e, diante da sua ausência, partido magoada. Só o tempo traria as respostas, mas justamente o tempo é que lhe era insuportável, a incerteza que se prolongaria indefinidamente, sem falar no que poderia vir depois. Melhor não se preocupar com isso agora, Lucas pensou enquanto abriu o laboratório. Acendeu as luzes e pendurou a foto para secar, tinha ficado realmente muito boa, Ilana abraçando os joelhos com um olhar tão sugestivo, e o chapéu. Agarrou-se à idéia absurda de colocá-la no porta-retrato de seu quarto como se agarraria a qualquer outra, apenas para não ter que voltar a pensar em Cláudia. Com o ar ligado no máximo o papel secou rápido. Lucas o pegou com cuidado e foi até o quarto. Sobre a mesinha de cabeceira reconheceu num papel a letra da esposa. O bilhete explicava que ela tivera que sair para voltar ao trabalho na casa de uma colega, tinham que entregar os resultados o mais rápido possível e assim por diante. Não devia esperá-la para o café da manhã, talvez nem para o almoço, pedia desculpas mas sabia que ele compreenderia.

Claro, naturalmente que compreenderia. Mas que estranha era a ausência de Cláudia, ainda que não houvesse espaço para a dúvida ali onde cinco anos tinham construído uma sólida confiança. Novamente para afastá-la do pensamento — embora desa vez por motivos diferentes —, Lucas lembrou-se do porta-retrato, onde Cláudia quatro anos mais jovem sorria, tendo ao fundo a paisagem de São Pedro da Aldeia, duas semanas de férias que tinha tirado para comemorar o primeiro aniversário do casamento. Novamente algo como a saudade começou a se formar em alguma região que depois de tanto tempo vazia acabara por se deixar invadir pelo tédio que pouco a pouco se transformava em algo mais sério, uma quase aversão à sua presença que se revelava em súbitas perdas de paciência, coisas assim.

O retrato de Ilana ficou perfeito, o porta-retrato era justamente do tamanho da folha de papel fotográfico. A foto de Cláudia saía pela primeira vez de um lugar que parecia destinado a ser seu para sempre, para voltar a ele logo depois, porque Lucas tinha que ir trabalhar em poucas horas e pensava ainda em dormir um pouco. Um súbito medo de correr riscos o invadia agora, algo como uma reação à audácia daquela noite, Ilana e tudo mais. De qualquer forma não conseguiu recuperar o sono e com o passar das horas começou a sentir um compreensível mal-estar, depois de tanta tensão acumulada e depois de tanta resistência que começava a se revelar inútil a uma dúvida que dentro de algumas horas explodiria. Não se sentia em condições de dirigir, a ausência de Paco fez com que fosse de ônibus. Surpreendeu-se ao reconhecer na porta da empresa o carro do amigo, talvez finalmente ele tivesse dito não à viagem. Encontrou-o no escritório, fingiu ignorar a falsa naturalidade que em Paco era sempre tão evidente, mas algo no ar era diferente, e uma leve melancolia começava a invadi-lo. "Você está com um ar cansado" disse Paco, quebrando um silêncio que já se tornava constrangedor, "dormiu mal essa noite?". Inevitável sentir interiormente o sorriso irônico que era perigoso tornar visível, o prazer de enganar o amigo melhor do que nunca. "Dormi pouco", respondeu, saboreando cada palavra, mas a resposta do amigo foi como mergulhar de vez no mal-estar do qual se sentira passageiramente livre. "Eu compreendo. Quando Ilana vai visitar a família e não dorme em casa eu também me sinto assim".

Não conversaram mais. Sem querer Lucas soube que a viagem tinha sido adiada para dali a dois dias. Cláudia o esperava em casa para almoçar, mas sem saber por quê Lucas não queria olhar para ela, como se sua presença o perturbasse ou como se a visão de seu rosto pudesse revelar a verdade que ele tolamente evitava transformar em palavras. Em todo caso não queria olhar para ela, não queria, de alguma maneira temendo não reconhecer nela a Cláudia da fotografia.

Troca de papéis

Depois de pela milésima vez rever mentalmente todos os detalhes do plano, Raul percebeu que se aproximava o momento de agir. Seu relógio marcava exatamente a mesma hora dos demais (preocupação levantada por Jorge logo nos primeiros dias, perfeccionista até nos segundos; por outro lado Raul concordava que era por bobeiras assim que os melhores planos iam por água abaixo, não convinha facilitar). Naquele momento Xavier já devia estar esperando no local combinado, com o terno cinza e o jornal dobrado em quatro para que não houvesse dúvidas, Jorge mesmo um pouco míope podia identificá-lo da outra esquina. Com uma calma que o ritmo cardíaco mostrava ser apenas aparente testou pela última vez o fecho da maleta e o fundo falso que nem precisaria ser usado, mas que era uma garantia a mais de sucesso, espécie de segunda chance caso algo saísse errado.

Essa era uma possibilidade que estava fora de cogitação, graças a seu charme irresistível Jorge não tinha tido muito trabalho para conquistar a moça do alarme, e o melhor de tudo é que ela não saberia de nada. E nem poderia desconfiar de Jorge (que além do mais não lhe tinha dito seu nome verdadeiro), já que estariam juntos o tempo todo, sem falar no fato de que ela também estaria de certo modo comprometida, falar alguma coisa significava no mínimo perder o emprego. O acaso nesse ponto nos ajudou, logo no segundo encontro a moça se abriu. Jorge soube que ela era

39

o único motivo de orgulho de uma família pobre, que morreria de desgosto ao ver a filha envolvida num caso como aquele. Melhor que fosse assim, embora por outro lado uma certa pena, saber que no final das contas ela seria enganada a troco de nada, e isso na melhor das hipóteses. Claro que se pudéssemos evitaríamos envolvê-la, mas num negócio como esse não se pode ser sentimental, naturalmente. Assim, o que interessava era que o alarme fosse desativado à hora combinada, restava saber se a engenhoca montada por Xavier, especialista em eletrônica, funcionaria tão bem como nos ensaios, e não havia por que duvidar disso. Depois seria uma questão de tempo, da resistência do guarda na cabine ao sonífero misturado ao cafezinho (mas também nesse caso não havia dúvida, a escolha da dose coubera ao próprio Raul, que era quem tinha experiência no ramo, e por seus cálculos o guarda levaria no máximo três minutos para apagar). Era justo o tempo que precisavam para os últimos detalhes preliminares, esperar que o guarda anterior deixasse o banco pontualmente como sempre fazia, descer do carro na hora em que Xavier descruzasse os braços, por sua vez uma resposta a Jorge que no outro carro cruzaria por ele com a moça do alarme.

Todos os movimentos e variantes estavam milimetricamente previstos, em cinco minutos Xavier deixaria a grana com Raul e fugiria no seu carro, enquanto a polícia o perseguisse (se é que ela chegaria a tempo, o que era muito pouco provável, mas até para isso tínhamos resposta), Raul esperaria que eles sumissem de vista e caminharia calmamente até o teatro na outra esquina onde estaria estacionado o carro de Jorge para então desaparecer completamente de vista até que o assunto esfriasse. Na saída do teatro a moça se espantaria ao não ver o carro, mas Jorge saberia dar uma resposta, e a sugestão de Xavier — de que Jorge fingisse

40

espanto e raiva por um suposto roubo do carro — me pareceu de sumo mau gosto. Mas ela estaria preocupada demais em voltar ao banco antes que dessem pela sua ausência, ainda mais se houvesse alguma agitação na rua por causa do assalto. A entrada para o setor de manutenção e segurança era independente da principal, e por isso acreditamos (sinceramente ou por desencargo de consciência) que ela poderia se safar. Só mais tarde a perícia descobriria a engenhoca eletrônica, que afinal de contas podia ter sido instalada durante a noite, e nesse caso ela estaria isenta de culpa. Claro que isso não tinha importância, mas Raul achou que era melhor deixar isso bem claro durante as reuniões da última semana. Especialmente para Jorge, a última coisa que desejariam seria uma falha por questões afetivas.

Tudo parecia correr bem, Xavier descruzando os braços parecia mais calmo e natural que durante os treinos, de onde Raul estava pôde perceber o carro azul de Jorge indo em direção ao teatro. Precisamente cinco minutos depois, como estava previsto, Xavier surgia. Raul já pensava em dar o suspiro de alívio quando percebeu a mancha de sangue através do paletó, a expressão de dor no rosto e nas mãos de Xavier que mal podiam segurar a chave do carro. Naquele momento em que tudo parecia desabar sobre sua cabeça Raul achou impossível pensar no que tinha acontecido, seu primeiro pensamento foi afastar-se de Xavier irremediavelmente perdido antes que os guardas surgissem na porta do banco. Conseguiu fazê-lo sem chamar a atenção, a rua àquela hora estava particularmente pouco movimentada. Quando o primeiro pedestre virou a cabeça em direção ao barulho dos tiros Raul já caminhava a passos rápidos em direção ao teatro, a maleta firmemente segura em sua mão. Não teve tempo ou coragem de olhar para trás, em algum lugar dentro de si Raul sabia estar a certeza de que já não havia chance para Xavier mas não se virar era de alguma maneira suspender o tempo, manter a esperança de que ele se salvasse (o que não significava simplesmente sobreviver, a que ele fosse preso Raul naturalmente preferia o outro caminho, a morte de que também ele fugia, agora com um desespero crescente). O carro estava lá, mas por deslize Jorge tinha descido o pino antes de bater a porta, e por pensarem que assim seria mais rápido (nesses momentos até um segundo pode ser decisivo) Raul nem quis levar a chave (mesmo porque só havia uma, mandar fazer a sobressalente representava um adiamento no mínimo desaconselhável agora que tudo o mais já estava pronto). Incrível que Jorge pudesse ter-se esquecido, mas tampouco para a raiva havia tempo, insistir inutilmente ao lado do carro podia levantar suspeitas. Num súbito e desesperado segundo Raul vislumbrou a outra possibilidade, entrar no teatro e dar um jeito de avisar Jorge, dar um jeito de explicar tudo a ele antes que a peça acabasse, para depois fugirem, se necessário levando também a moça, mas de qualquer modo fugirem.

A peça já tinha começado. Se tivesse olhado para o banco antes de entrar Raul talvez ficasse em pânico, já que em direção ao teatro vinham três ou quatro policiais, quem sabe já atrás dele. Estranhou a escuridão na platéia, e a consciência de que jamais encontraria Jorge caiu sobre ele como um murro, como uma última esperança perdida. Aceitou conformado o lugar que o lanterninha indicava. Só lhe restava esperar e assistir a peça, talvez em algum momento o intervalo (mas essa era uma esperança infundada, nos últimos tempos as peças só tinham um ato).

Talvez não aquela, já que desde o princípio tudo era tão estranho, ainda que naquele caso a estranheza viesse justamente de seu contrário, da sensação de algo já visto ou ouvido no desespero e do monólogo em pleno palco, uma luz caindo pesadamente sobre ele como se fosse apenas a luz do refletor. Não era. Antes mesmo das palavras, de recuperar a noção de equilíbrio perdida ao mergulhar de cabeça na leve escuridão de um espetáculo já iniciado, Raul percebia uma outra verdade. Uma verdade ainda feita de milhares de fragmentos aparentemente pertencentes a realidades tão diversas como aquelas limitadas pela escuridão e a luz, o silêncio e as palavras que só agora começava a compreender, a atenção que envolve e a que se solta. De qualquer forma ainda estava nervoso demais para esquecer que o coração batia tão rápido que quase lhe saltava pela boca, que o suor da corrida e do medo fazia grudar incomodamente a camisa à pele, sensação que o ar condicionado do teatro apenas tornava ainda mais desagradável. A interpretação esforçada dos atores o ajudava a esquecer a delicadeza da situação em que ele próprio se encontrava. Ao menos durante alguns minutos, ao menos até que compreendesse o motivo do ligeiro tumulto na entrada do teatro. Alguém convencera os guardas a não suspender o espetáculo, provavelmente o diretor, já que estavam em meio a uma cena tão intensa e que exigia tanto ao ator — conseguir passar à platéia a impressão de monólogo interior, do pensamento se revelando através dos gestos e olhares mais que através das palavras, dos lábios se abrindo e fechando que chegavam a parecer dispensáveis em meio as revelações que numa outra dimensão da realidade alguém descobria com o cuidado que se tem ao levantar falsas suspeitas, ainda mais em se tratando de um amigo, alguém que ele e Xavier conheciam há tanto tempo.

Raul afundou-se um pouco mais na poltrona, através dos corredores laterais duas fardas iam e vinham, com o único e evidente objetivo de amedrontá-lo, de fazer com que tornasse evidente pelo medo algo que dificilmente seria descoberto antes do final da peça. Mesmo assim havia possibilidade de escapar, bastava abandonar a maleta, mas justamente isso era tão difícil, depois de tantas dificuldades entregá-la de mão beijada à polícia. Uma sutil variação na luz tornou visível mais alguém além do solitário e desesperado protagonista, alguém que provavelmente ou que seguramente estivera ali desde o início, escondido e protegido pela escuridão que da mesma maneira o protegeria de seus persegui-dores que continuavam a se movimentar pelo teatro. Era difícil prever até quando, de nada adiantava olhar o relógio agora inútil, Raul não sabia quando tinha começado o espetáculo. Em todo caso isso já não im-portava tanto, era um pouco como a confusão em que sentira envolvido ao ver a mancha de sangue em Xavier, fragmentos aparentemente confusos começavam a se juntar como que por vontade própria, subitamente obedecendo a uma outra ordem, difícil de engolir a princípio mas pouco a pouco se tornando a única e inevitável explicação em que todos os dados passavam a combinar tão perfeitamente que era dispensável o que tinha vindo antes, o que ele não tinha podido assistir mas que se revelava a seus olhos claramente em suas conseqüências, na maneira sorrateira como através da semi-escuridão do teatro quase não se podia perceber a aproximação entre os dois.

A tensão e o silêncio indicavam que se aproximava o clímax, em questão de minutos viriam as cenas inter-mediárias entre o que realmente interessava e o acender das luzes, e por um segundo um arrepio de medo percorreu o corpo de Raul. Os policiais já estavam fora de vista. O engraçado era que no palco também havia um, mas esse é claro que ele não precisava temer. De qualquer forma mudar de poltrona era uma tarefa delicada, em meio a tanto silêncio e atenção. Com movimentos lentos quase deslizou para o lugar ao lado, sem desviar os olhos do palco, procurando de todas as maneiras não ser percebido.

A peça estava em um momento irresistível, diante de tantas evidências já não era possível fingir que não, ignorar a traição que a todos já pareceria tão evidente. Mas Raul não podia assistir à peça como um espectador normal. Num momento em que a ação parecia suspensa — os dois personagens enfim se encontravam sob um silêncio esmagador — desviou seu olhar calmamente para a direita: de fato era Jorge quem estava ali, fitando atentamente o palco. Identificou a sombra do outro lado como a moça do banco, bastava curvar-se para ter certeza, mas um gesto assim podia pôr tudo a perder. Preferiu voltar a olhar para diante de si mas seu olhar já não chegava ao palco, se perdia numa última e insensata dúvida, tão frágil que mal dava para fazê-lo hesitar, pensar em procurar um outro caminho, ou uma forma de tirar tudo a limpo. Mas isso exigiria tempo, algo de que não dispunha, e nas circunstâncias só restava passar à ação.

Procurou descobrir no perfil de Jorge gravado em sua memória algum traço denunciador, na rigidez do olhar ou no gesto nervoso de levar o cigarro à boca a resposta para a dúvida que o atormentava. Impossível, naquela escuridão Jorge era pouco mais que uma sombra, e em todo caso não teria motivos para ficar nervoso, a moça do outro lado bastando para eliminar qualquer sentimento de culpa. Incrível que aquilo tivesse acontecido e no entanto era verdade, nessas horas a realidade está pouco ligando para o que é ou não verossímil, e cabe a quem assiste acreditar ou não naquilo que se desenha à sua frente.

Era o que acontecia com a peça, a solução para a trama era sutil o suficiente para fazer cada espectador acreditar que só ele tinha compreendido, mas ao mesmo tempo bastante evidente para conquistar todos eles, inclusive Jorge e Raul, e também a moça do banco. A simpatia que se estabelecia em direção ao personagem do monólogo tinha algo a ver com o sentimento de justiça, o desejo que pelos meios normais jamais seria satisfeito e que por isso mesmo excitava tanto a platéia. Naquela altura até os policiais — se é que ainda estavam lá dentro, se é que não tinham resolvido esperar na única e estreita saída que seria aberta ao final da peça — estariam seguramente com a atenção dirigida ao palco, sem que com isso deixassem de lado seu dever, é claro.

A traição não é nada enquanto não é descoberta. Mas quando subitamente alguém acima de qualquer suspeita se revelava um traidor da pior espécie, isso ninguém poderia perdoar. Raul teve pena de não ter assistido à peça desde o começo e, mais do que isso, teve pena de saber que jamais voltaria a ter uma chance de assisti-la, se por um milagre conseguisse escapar levaria décadas até poder voltar à cidade. Ao menos não faltaria tempo no lugar para onde ia, e a certeza de que boa parte dele fatalmente seria ocupado pelas recordações — inclusive daqueles momentos, daquela peça — bastou para renovar em Raul a vontade de agir, de não correr o risco de passar o resto da vida lamentando a liberdade do outro, e acima de tudo a chance perdida da vingança, que o passar dos anos tornaria insuportável, e ao mesmo tempo inútil.

Inútil, mas em todo caso a peça tinha que terminar, com um gesto rápido Raul disparou a arma, em meio a ritos e desmaios Jorge curvou-se ligeiramente para a frente, a traição estava por fim vingada. A peça acabava assim, mas por motivos diferentes na platéia algum maluco fizera o mesmo, Raul que não acreditava que se pudesse trair um amigo por causa de uma mulher se surpreendeu ao sentir o sangue em suas mãos. Os policiais entraram rapidamente e evitaram o pânico, e nessa altura Raul corria desesperadamente em direção à saída lateral. A peça já tinha terminado, mas para ele isso era diferente, na confusão que tomou conta do teatro era como se tudo continuasse além do palco, como se além das luzes e dos ensaios aquilo fosse de fato a vida, como se só lhe restasse correr desesperadamente em direção a uma saída. Em vão, naturalmente, os policiais haviam trancado as portas para evitar sua fuga.

A rotina

Ontem tia Margarida veio aqui em casa, quando che-guei da escola ela já estava, e aí eu entrei correndo para ver se ela tinha trazido algum presente. Na véspera mamãe já tinha falado que ela vinha, mas eu acabei esquecendo. Nessas últimas semanas a gente recebe tantas visitas que é difícil me membrar de quem vem, e quando.

Na verdade as visitas são para Bebel, desde que ela voltou todo dia vem algum parente visitá-la, ver como é que ela está, essas coisas... Tio Beto, vô João, ninguém liga mais para mim, e é tanto paparico para a Bebel que tem horas que eu preferia ter desaparecido no lugar dela. E o pior é que ela nem liga, a tonta, recebe presentes aos montes e mal dá um sorriso, agra-dece meio sem jeito e vai embora correndo, se trancar no quarto. E as pessoas que ficam na sala parece que não têm outro assunto, mamãe não se cansa de repetir a história toda outra vez, e outra, para cada um que chega. Mamãe não gosta que eu fique na sala nessas horas, mas eu sempre dou um jeito de escutar.

Ontem, com tia Margarida, foi a mesma coisa. Para mim ela não trouxe nada, só para Bebel, uma caixa enorme de bombons com recheio de frutas, e um disco do Roberto Carlos. Bebel mal resmungou um obrigado e ficou olhando para o chão, mas mesmo assim tia Margarida ficou passando a mão no seu cabelo e dizendo como ela é boazinha, como ela é boazinha. Antes eu era o preferido, Bebel morria de raiva, mas depois que esse inferno começou nunca mais, os parentes só têm olhos para Bebel. Como você cresceu, já está uma moça, e eu pois sim uma moça não fica o dia inteiro trancada no quarto feito uma boba.

Mas Bebel sempre foi assim mesmo, meio esquisita, caladona... Mamãe também pensa assim, eu sei porque um dia ela estava explicando para alguém que era o jeito dela, que não tinha nada a ver com o seqüestro. Não me lembro quem era, mas não ficou muito convencido. E às vezes eu fico pensando se algo assim não deve deixar marcas, e se não aconteceu nada além do que ela contou quando voltou, além do que mamãe conta para as visitas que gostam de fazer perguntas. Esses momentos são horríveis, porque é quando eu sinto remorso por ter desejado estar no lugar dela, fico dizendo para mim mesmo que era só brincadeira, que não queria nada.

Ontem de noite foi assim, mamãe estava sozinha na sala vendo televisão e disse que eu podia comer os bombons, que Bebel não estava com vontade. "Vai ver que está de regime", eu disse, crente que mamãe ia achar a maior graça, mas ela só deu um sorriso. Antes do seqüestro qualquer bobagem que eu dizia ela rolava de rir. Comi um bombom sem muita vontade, pensando que no dia seguinte Bebel podia mudar de idéia. Depois fui dormir, pensando mais uma vez que seria bom se nada daquilo tivesse acontecido.

Nos primeiros dias foi quase divertido, no início me tinham dito que Bebel tinha viajado, mas é lógico que eu não acreditei nisso, Bebel nunca viaja fora das férias, e sem mamãe. Para falar a verdade nem mamãe parecia muito preocupada em fazer que eu acreditasse, ela andava tão nervosa que não era capaz de representar. Mas também não tinha de me explicar tudo, sempre era algum telefonema ou visita, o investigador ou tio Oscar. Foi sorte que o tio Oscar trabalhasse no jornal, ele tomou as providências para que só fosse divulgado o mínimo possível, e quando ela voltou no dia seguinte saiu no jornal que ela estava muito bem, que os seqüestradores a tinham tratado muito bem. A partir daí o investigador não veio mais, tio Oscar só veio uma vez e o telefone parou de tocar tantas vezes. Foi nessa semana que começaram minhas provas, de um dia para o outro tudo voltou à mesma rotina de antes, com exceção das visitas, é claro.

Na escola ninguém sabia de nada, teve um dia que eu vi uma revista na mão de um colega e fiquei com medo que tivesse alguma coisa, mas não. Só mesmo o jornal da cidade, mas por ali não dava para saber que era minha irmã, não tinha nem o nome dela. Diziam que era para resguardar a privacidade da família, que agradecia o apoio manifestado pela comunidade etc, mas depois eu me lembrei que Bebel é menor, que em jornal só sai nome de quem tem mais de dezoito anos.

Foi a segunda vez que eu achei engraçado o funcionamento da imprensa, porque ninguém lá em casa estava querendo saber de agradecer coisa nenhuma, tudo o que queriam era ter Bebel de volta. A primeira foi quando eles diziam que Bebel estava bem, que tinha sido bem tratada. Era verdade, mas como eles podiam saber se naquele dia Bebel não falou nada, tanto que mamãe até ficou com medo de que tivesse ficado muda? Ninguém mais reparou nessas coisas, e acho que até já jogaram fora o jornal, mamãe não quer que Bebel o encontre por acaso e se lembre de tudo.

Pois é, assim os dias foram passando, Bebel pouco a pouco voltou a falar como antes, quero dizer, quase nada. Mas é difícil saber se não está um pouco diferente, antes eu nem reparava nela direito. Se eu soubesse o que ia acontecer sim, teria observado o seu jeito, para agora saber com certeza. Dela já desisti de obter

50

qualquer informação, ela se recusa a responder minhas perguntas, e se eu insisto ela me olha de um jeito estranho, nem parece que é ela, fica me olhando e me faz umas perguntas esquisitas. Aí eu saio porque fico com medo, teve um dia que ela perguntou se eu já tinha beijado alguém, o quê que eu tinha sentido, se tinha achado bom. Achei que ela perguntava só para eu ir embora, e por isso resolvi ficar para ver se passava a bobeira dela. Mas não, Bebel continuou a me olhar daquele jeito e de repente começou a chorar, tanto e tão forte que mamãe ouviu e veio correndo da cozinha, nesse dia o almoço até queimou. Aí mamãe abraçou Bebel e ficou dizendo que não chorasse que já ia passar. Pareciam ignorar minha presença, de forma que não foi difícil sair dali. Fui correndo para o meu quarto, cheio de um medo indefinido e triste, e fiquei olhando minha coleção de borboletas e relendo revistas velhas. Só saí na hora da janta, por sorte ninguém veio visitar Bebel nesse dia, porque ela só parou de chorar quando mamãe ligou para o médico perguntando o que fazer, se podia lhe dar um calmante. Acho que ele disse que sim, porque Bebel não jantou nesse dia e mamãe falou que ela estava dormindo, fazendo de conta que não tinha acontecido nada. Isso foi anteontem, foi então que ela falou que tia Margarida vinha nos visitar e eu lembro que fiquei contente, porque tia Margarida sempre me trazia presentes.

Mas na manhã seguinte eu nem me lembrava, só quando voltei do colégio e vi o carro de tia Margarida é que fiquei alegre. Sabe como é, ainda não acabaram as provas, e vem tanta gente visitar a Bebel nesses últimos tempos que é difícil me lembrar de todo mundo. De qualquer forma tia Margarida não trouxe nada para mim, só um disco e os bombons para Bebel, que nem quis comer. Mas quando fui dormir já não estava triste por isso, estranhamente só pensava em

Bebel, no rosto de Bebel chorando no peito de mamãe que lhe dizia que não era nada, que ia passar. Mas ela não parava de chorar, não parava de chorar.

Deve ser triste terminar assim

Deve ser triste terminar assim, eles dizem, sem sequer tomar o cuidado de verificar se estou mesmo dormindo, se não fecho os olhos por puro tédio, por já estar cansado desse quarto de paredes brancas e dessa janela que não dá para lugar nenhum. Da próxima vez vou tentar não me esquecer de falar com Cláudio para mudar as flores e trazer alguns quadros. É justo que ele tenha um pouco de trabalho agora que me sobra tão pouco tempo, vou dizer que quero alegrar o ambiente. Elisa só deve vir à noite. Minha irmã, que não gosta muito dela, acha um absurdo que não fique o tempo todo do meu lado, como mamãe na época da doença de papai. Afinal de contas ela é minha mulher, diz minha irmã, mas é como se dissesse: afinal de contas, ela vai herdar o dinheiro e a fazenda. Sei que minha irmã só pensa nisso, deu para se apegar às coisas materiais depois de velha. Pessoalmente prefiro que Elisa não fique muito tempo, não gosto que ela respire esse ar parado, ela que é tão jovem e sensível.

Tenho medo de morrer, mas pior que o medo é a tristeza por ter podido passar tão pouco tempo ao lado de Elisa. Para me distrair, recordo, e é como se vivesse de novo a aproximação, a sensação de que a felicidade enfim me visitava, "ainda que tardia". Eu já estava na idade de não alimentar mais ilusões e de quase não pensar mais em mulheres. Na primeira vez em que a vi, meu coração disparou como não me acontecia há pelo menos trinta anos, e tive a certeza imediata de que nenhuma paixão de juventude me afetou de forma tão intensa. Mas teria deixado escapar essa oportunidade, se Cláudio não estivesse a meu lado me incentivando. Como nos negócios, Cláudio mais uma vez o amigo de sempre, talvez o único em quem confiei de verdade.

Que fosse tão jovem e cheio de vida não foi um dado desprezível. Como a de Elisa em minha vida amorosa, a sua presença na minha empresa funcionava como uma injeção de ânimo, renovada a ponto de eu multiplicar em pouco tempo suas atribuições, até que ele se tornou um peça indispensável. Mais que isso, o candidato natural a me substituir na direção na hipótese, então improvável, de eu ser obrigado a me afastar... Minha irmã, naturalmente, não viu com bons olhos a rápida ascensão de Cláudio, o que serviu de pretexto para mais de uma briga familiar. Como as muitas que tivemos, desde meu casamento com Elisa.

Pois não, por favor, obrigado... A enfermeira gorda repete as palavras de uma maneira mecânica, com seu sorriso imbecil. Prefiro a outra, mais jovem, que de vez em quando me acaricia os cabelos e é mais atenciosa. Suponho que o fato de a gorda passar a vir com mais freqüência está relacionado com ciúmes de Elisa, que não gostou da enfermeira jovem. "As jovens são interesseiras," "Isso não se aplica a você, espero". Risos. A gorda me dá uma injeção e me ajuda a trocar de pijama. Sei que ela sabe que estou constrangido, envergonhado por depender dela para tudo, mas ela não faz o menor esforço para melhorar as coisas. Depois que ela sai levo horas para recuperar o ritmo normal dos meus pensamentos, e isso me deixa meio confuso e angustiado. Gostaria de poder conversar com alguém. Elisa vem tão pouco. Cláudio deve estar tão culpado, sozinho no comando da empresa. Chego a

54

desejar que minha irmã apareça, mas não ouso telefonar. Solidão.

Repasso pela centésima vez os acontecimentos na memória. Cláudio percebeu tudo imediatamente, desde o primeiro e casual encontro. Por puro tédio, deixei que ele agisse. Quando Elisa se levantou e caminhou na minha direção, algo dentro de mim se recusava a acreditar que aquilo estava acontecendo de verdade, que aquele sorriso era para mim, aqueles cabelos, aqueles olhos, aquela boca. Nas semanas seguintes, senti pela primeira vez prazer em ser rico: flores e presentes eram uma forma de parecer gentil e ganhar tempo para tomar coragem. Como um adolescente, hesitei estupidamente antes de armar o bote. Passava horas diante do espelho, lamentando não ser jovem, forte e bronzeado pelo sol. Como Cláudio. Mas ao mesmo tempo sentia crescer dentro de mim o orgulho por ainda ser capaz de conquistar uma mulher como Elisa.

Casamos três meses depois. Cláudio, naturalmente, foi o padrinho. Minha irmã não compareceu a cerimônia, depois de insistir inutilmente na separação de bens, no patrimônio da família a zelar e outras mesquinharias do gênero. Durante a lua-de-mel, Cláudio assumiu a direção da empresa pela primeira vez. As lembranças da viagem surgem como fotografias da memória: Elisa de biquini apanhando sol, Elisa nadando, Elisa linda e só minha... Mas por tão pouco tempo, tão pouco tempo.

As dores são cíclicas, e já sei quando devo me preparar. Ainda assim, às vezes uma pontada mais forte me faz perder o controle a ponto de eu começar a chorar. Logo entra algum médico com uma seringa na mão, e uma progressiva sonolência substitui a dor. Gostaria de saber como funcionam os anestésicos. Gostaria de aprender muitas coisas.

Esta manhã tive uma idéia estranha: se pudesse me lembrar quantas vezes possuí Elisa, poderia saber em quantas partes dividir minha felicidade. Infelizmente não foram muitas, apesar da ajuda de Cláudio a empresa passou a me consumir cada vez mais tempo. Ele e Elisa tornaram-se amigos inseparáveis, passaram a trocar sorrisos e abraços com uma intimidade tão fraternal que pareciam se conhecer há muito, muito tempo. Chegaria a sentir ciúme, se não tivesse algo mais sério para me preocupar: há uma semana meu médico me informou que não devo ter esperança.

É estranha a sensação de ser um caso perdido. É noite. Cláudio e Elisa vieram me visitar. Em breve serão donos de tudo que é meu, Cláudio tão jovem e cheio de vida, Elisa com ainda quinze ou vinte anos de beleza pela frente — e em nenhum desses anos a minha presença para perturbá-los. Pensam que durmo, que não observo a mão de Cláudio que desaparece sob a saia de Elisa, seus olhares que se cruzam como se eu já não existisse. Agora Elisa se vira e olha para mim, quer certificar-se de que não há perigo. Aperto os olhos e me esforço para suportar a dor que novamente me invade, enquanto os dois se beijam e trocam carícias. E depois dizem, subitamente compadecidos, deve ser triste terminar assim.

O outro

Olhou para frente e viu seu rosto refletido no espelho do armário do banheiro. Seus olhos estavam quase fechados, ainda estava com sono. Passou as mãos pelo rosto áspero e sentiu a barba de três dias. Decidiu que iria raspá-la, enquanto abria a torneira. Gostou de ouvir o barulho da água que jorrava forte, indo de encontro à pia. Gostava de água. Lavou o rosto lentamente, sentindo-a, fria, em contato com a pele do pescoço, do nariz, da testa, penetrando em seus poros, despertando-o pouco a pouco da letargia do sono.

Aproximou-se do espelho, até quase tocá-lo com o nariz, o pôs-se a examinar seu rosto. Algumas pequenas rugas já se insinuavam em volta dos olhos, e alguns fios brancos se intrometiam entre os cabelos castanhos, que, felizmente, ainda eram maioria. Mas, de um modo geral, ele pensou, não aparentava a idade que tinha. Pelo menos, era o que lhe dizia sua mulher. Lembrou-se dela e imaginou que já o esperava, arrumada, no quarto, junto com as crianças. Rapidamente, ensaboou o rosto com a mão direita, enquanto a esquerda já tateava a prateleira, em busca do creme de barba. Espalhou-o em sua face, fazendo bastante espuma, e gostou de sentir o agradável aroma silvestre do creme em sua pele. Com o aparelho na mão, começou a barbear-se metodicamente, em movimentos firmes, verticais, de baixo para cima. A lâmina, bem afiada, não encontrava nenhuma resistência em seu rosto.

Subitamente, alguém bateu na porta, com estrondo, fazendo com que ele se assustasse. Acabou se cortando. Do lado de fora, sua mulher gritava que ela e as crianças já estavam prontas. Resmungou que já ia, nervoso ao ver o sangue. Felizmente, não era um corte profundo, um pequeno pedaço de algodão foi suficiente para estancar a ferida. Jogou o algodão no cesto e continuou a barbear-se, desta vez com mais cuidado. Lembrou que, três dias antes, havia decidido deixar a barba crescer, mas logo ela começou a aborrecê-lo e ele resolveu raspá-la. Ao terminar, olhou-se bem no espelho, avaliando o seu desempenho. No canto direito do queixo, o corte já não sangrava mais, embora um pequeno ponto vermelho insistisse em permanecer ali. Fora isso, a barba tinha sido bem feita. Enxugou o rosto na toalha e pousou a mão direita sobre o vidro da loção. Tomou coragem o passou-a sobre o rosto. Em contato com o corte, a loção ardia de uma forma incômoda.

Mas a dor passou logo, e ele começou o lento e laborioso processo de pentear-se. Primeiro, fez o risco, tão cuidadosamente como se fosse um médico fazendo uma cirurgia. Depois, com a escova, deu uma série de golpes preliminares, rápidos, para ambos os lados. Então, novamente com o pente, arranjou lentamente os cabelos da forma desejada, sem deixar nenhum fio fora do lugar. Não era vaidoso, mas sempre se orgulhara de seu cabelo, que era a parte de seu corpo a que dedicava maior atenção. Mirou-se com um olhar crítico, no espelho, e deu-se por satisfeito.

Batiam novamente na porta. Desta vez, era seu filho mais velho que vinha apressá-lo. Tinha dez anos. O caçula tinha seis. Havia prometido aos dois que os levaria para um passeio naquela manhã, se fizesse sol. E, realmente, fazia um dia lindo (surpreendentemente, pois havia chovido a semana inteira). Lem-

58

brou-se de sua própria infância, que agora lhe parecia tão remota, quando seu pai o levava para passearem pela montanha, junto com sua mãe e seus irmãos. Foram dias felizes, pensou. Surpreendeu sua imagem sorrindo nostalgicamente, no espelho, e um ligeiro tremor percorreu-lhe a pele. Nunca havido pensado em como a sua infância havia sido feliz.

Começou então a escovar os dentes, com movimentos rápidos e firmes. Enxugou a boca com cuidado, pois o corte deixara a pele de seu rosto muito sensível. Apoiou as mãos na pia e ficou observando sua imagem, refletida no espelho, emoldurada pelos azulejos azuis da parede que tinha atrás de si. E a imagem que via era a de um homem feliz. Bem sucedido profissionalmente, pois tinha um emprego seguro e bem remunerado. Plenamente realizado no plano familiar, com dois filhos saudáveis e uma mulher dedicada. Sem dúvida, a imagem que via era a de um homem feliz, que se preparava para passear com a mulher e os filhos, pois era domingo e o sol brilhava, após uma semana chuvosa. O que mais poderia esperar da vida?

Sentiu-se muito bem, como não se sentia há meses, e a imagem no espelho refletia toda a sua felicidade. Com um sorriso nos lábios, tampou o creme dental e colocou-o no copo sobre a pia. Fechou a torneira lembrando-se da alegria que se estampara no rosto das crianças, quando ele lhes prometera o passeio. Pensou que talvez estivessem agora do outro lado da porta, aguardando-o, ansiosas, da mesma forma que ele e seus irmãos faziam quando eram crianças. Com uma rápida olhada no espelho, verificou que já estava pronto para sair. Já ia fazê-lo, mas resolveu ficar mais um pouco só para prolongar a espera dos filhos, pois, sabia-o por experiência própria, assim o passeio ficaria ainda mais agradável. Voltou a observar seu rosto refletido no espelho, fazendo caretas como uma criança e rindo de si mesmo, como as pessoas felizes.

Mais uma voz, ouviu que batiam na porta, impacientemente. Sorriu consigo mesmo o admitiu que já os fizera esperar demais. Ainda assim, hesitou por um instante, antes de sair. Era penoso ter que deixar para trás aquela imagem que o fizera sentir-se tão bem. Porém, como insistissem em chamá-lo do lado de fora, saiu, os olhos fixos no espelho. Viu sua imagem que desaparecia lentamente, sendo substituída pela da parede azul. Entre confuso e surpreso, percebeu que continuava no mesmo lugar, embora já não pudesse se ver. Tentou levar as mãos ao rosto, mas já não havia mãos, nem rosto, e então ele se sentiu irresistivelmente empurrado pela parede que ocupava o seu lugar. Subitamente, descobriu a verdade. Ele era apenas um reflexo no espelho, o outro é que era real. O outro, que ele considerava sua imagem e que já não estava ali, pois passeava com sua mulher e seus filhos, livre, material, enquanto ele, um mero reflexo que se extinguia, estava condenado a esperar o seu retorno para voltar a existir.

Tudo acabado entre nós

Veja só como são as coisas, está tudo muito bem e de repente pimba, uma súbita catástrofe, algo como uma bofetada inesperada que nos deixa completamente aturdidos. Quando Cláudia falou a Jorge do carnaval e de Cabo Frio pela primeira vez parecia só haver um caminho, dizer não e abandonar-se a um processo que correria sozinho, se manifestando nele através da cara amarrada ou do silêncio, para depois nela, nas lágrimas que derramaria. De fato foi assim, ou quase, a única e sutil diferença foi evitar ser categórico, deixar flutuar no ar uma dúvida, um fio de esperança. Depois não se soube explicar por quê, talvez o tédio de novamente as lágrimas, talvez uma inexplicável compreensão já presente, a certeza inconsciente de que acabaria indo. No final das contas pediu um tempo para pensar, naturalmente dando a entender que não e acreditando nisso, embora por outro lado o saco cheio do Rio e do carnaval, do calor asfixiante, da eterna família.

Uma semana depois resolveu que ia, achando que com um pouco de boa vontade uma semana com a família de Cláudia não seria assim tão insuportável quanto a princípio imaginara, que como ela mesma disse passariam todo o tempo juntos, sem falar na praia tão pertinho, outra pequena tentação que não é nada, não é nada, mas que somada a tantas outras acaba tendo uma influência considerável numa decisão assim. Sabia também que era uma opção pelo curto prazo, que uma análise fria e imparcial levaria ao outro caminho, porque algo assim não vem sozinho, ir era a retomada de uma prática suportável apenas enquanto não tinha sido rompida — e alimentada de vez em quando pela satisfação de saber que a mãe perguntara por ele, por quê ele não tinha ido visitá-la — e que depois de alguns meses seria o arrependimento, a certeza de que preferiria ter pago o preço de uma semana a mais no Rio, do carnaval solitário e triste.

Pois é, não adianta chorar sobre leite derramado, o fato é que ele foi e no primeiro dia chegou a se divertir bastante, apesar de a face desabituada doer um pouco depois de tanto sorriso forçado (ou talvez nem tanto, sorriso inevitável caberia melhor aqui, uma vez que às vezes era mesmo natural, às vezes tinha mesmo vontade). Como na hora do jantar, quando o irmão contou umas piadas bobas com tanta graça, ou depois, na rede, com Cláudia de um lado e sua sobrinha de sete anos do outro, um contato inesperado e talvez o único verdadeiro no meio de tantas concessões e condições e proibições veladas ou explícitas — mais até do que seria de se suspeitar, já que uma certa sutileza costuma acompanhar as casas em Cabo Frio; em todo caso isso servia como a dose de surpresa necessária para não se achar muito chato, prevendo sempre as coisas como elas vão acontecer, e sempre tudo tão certinho. Falaram de seriados e desenhos animados, Jorge tentou se lembrar de um que tinha o multi-homem e o homem-mola, mas o nome lhe escapava, o máximo que conseguiu arrancar das recordações foi a lembrança de um terceiro personagem, o homem-água, um que virava água e que conseguia passar pelas frestas das portas e janelas quando era necessário, e sempre havia uma situação em que era. Gostou de saber que estavam reprisando Bacamarte e Chumbinho, perguntou tolamente o dia e o canal em que passava, talvez uma tarde qualquer ligasse a televisão para matar a saudade. Cláudia é que não gostou muito, exigindo uma exclusividade por tantos motivos inconveniente (quase brigaram depois por causa disso, quando ele foi jogar damas com o pai, quando ele preferiu ler um pouco sozinho; depois ela se arrependeu e pediu desculpas, mas ele não tinha ficado triste porque já estava acostumado).

Então foi assim, o primeiro dia se passou sem maiores problemas, e o segundo, e o terceiro. No quarto voltaram a ficar na rede com a sobrinha, conversaram bastante sobre a Mônica e o Cebolinha, Cláudia de seu silêncio se esforçava para conter o riso, não era muito comum ver Jorge falar assim. Quando a menina saiu para ir dormir — quis resistir um pouco, mas o sono era mais forte — os dois se olharam com uma seriedade ausente até então, como se até ali tivessem voluntariamente esquecido tantos motivos para inquietação e angústia, a intimidade pouco antes alcançada tendo tido tão poucas chances de se manifestar outra vez, sem falar nas intermináveis variantes, o medo de que descobrissem, as pílulas ridiculamente pequenas mas tão difíceis de esconder, a naturalidade tão difícil de recuperar diante da família, a mentira que apenas teoricamente era justificada pela certeza de que tinham razão. Também para Jorge era assim, embora conseguisse chegar à coerência ao nível dos sentimentos, o verdadeiro desprezo pela muralha de falsidade que parecia se erguer sobre cada um e sobre o pai em particular, pela total incapacidade de abandonar o universo mesquinho em que inconscientemente se debatiam, nem que fosse somente pelas palavras, que apenas verbalmente vislumbrassem algo maior ou diferente. Mas o olhar não durou muito, incapazes ou sem vontade de transformar pela centésima vez em palavras algo que justamente as palavras não podiam modificar se entregaram a um silêncio que também já se tornava

63

repetitivo, como tudo mais. Foi então que pela primeira vez Jorge pensou que teria sido melhor não ir, desde que haviam chegado. Não pelos motivos que meses e meses de discussão haviam tornado evidentes a ponto de dispensar as conversas, a espécie de vingança por tanta maldade inocente e impune, a promessa de nunca mais ir à sua casa agora violada. Não, se fosse assim seria simples, dominavam suficientemente bem todas as variantes das conversas que a situação vivida podia provocar para que daí pudesse surgir algum receio, no fim das contas o prazer de estarem tão conscientes bastaria para compensar a ausência de mudanças a nível prático. Agora, porém, era diferente, algo como um cansaço o invadia subitamente, e o silêncio já não escondia a certeza de antes, mas dúvidas, e embora não se desfizesse a consciência de todos os fatores envolvidos na relação ela agora não servia para nada, se revelando inútil como a fruta que demorou demais para ser colhida. Era exatamente assim, suas idéias e análises eram como frutas podres, a dura verdade era que continuavam a se render ao poder diante do qual ter razão não era mais que uma compensação, uma arma ilusória que servia apenas para tornar um pouco mais suportável uma realidade que não mudava.

Claro que o que veio depois pode ser interpretado de diversas maneiras, talvez alguns anos de análise bastassem para devolver a Jorge o desejo de antes, desejo que a partir daquele minuto em que a súbita e cansada descoberta o invadiu nunca mais foi o mesmo. Não faltariam explicações, uma vez que Freud e a dessublimação, uma vez que os costumes já não são tão rígidos como antigamente, e uma vez que de uma forma ou de outra tudo pode encontrar alguma explicação; mas talvez elas nem tenham sido necessárias, se é que se pode interpretar assim a impossibilidade de manifestação, a ausência de espaços livres. O fato é que mais tarde tudo se transformou em um grave problema (engraçado que até isso depende do ponto de vista, que algo seja útil num determinado contexto e condenável noutro), e o fato é que não puderam ou não quiseram se lembrar de antes, vasculhar um passado em todo caso quase imprenetrável para extrair uma duvidosa explicação (e de que serviria a verdade, a não ser trocar a culpa de lado, transformar em simples vítima alguém que era também culpado?). Foi mais fácil a separação, as pequenas brigas foram se acumulando e de repente pimba, a pequena tragédia, a bofetada que nos deixa aturdidos.

Foi o que aconteceu, um impasse insustentável ou uma simples perda de saco, o nome importa pouco, como sempre. E talvez tragédia seja um pouco forte, mas o fato é que elas nem sempre vêm impregnadas de sangue ou de ódio, às vezes elas acontecem assim, sem que ninguém saiba explicar por quê ou como. E nem mesmo Jorge sabia, o que podia dizer era que estranhamente já não sentia falta de Cláudia, dos beijos e abraços de Cláudia, do futuro com Cláudia. E quando, ao chegar em casa, algo como a solidão ameaçava se aproximar, agora que não havia mais telefonemas ou encontros, ele simplesmente sentava na poltrona e olhava televisão, esperando tolamente que estivesse passando o desenho do multi-homem, ou do Bacamarte e Chumbinho.

Cenas de um casamento

Não era exatamente um casamento infeliz, mas nenhum dos dois ficou triste quando determinaram que ele teria que passar uma semana por mês no Rio para supervisionar o funcionamento da nova filial. "Tem que ser você, não confiamos em mais ninguém", disse o chefe a Raul. "Eles só confiam em mim", disse Raul a Irene, esperando talvez encontrar mais resistência que o silêncio onde ela se refugiava cada vez que não sabia como reagir. Duas semanas depois ela o levava ao aeroporto — Raul não sabia dirigir —, e combinaram a hora em que Irene viria buscá-lo, na segunda-feira seguinte.

Tinha sido fiel durante dois anos. Depois, o tédio e os amigos o convenceram de que afinal de contas pular a cerca de vez em quando não era assim tão grave, e ele passou a admitir a idéia de. Começou a ter fantasias com as colegas de departamento, com a secretária, com a cunhada de sorriso provocante. Fazia de conta que Irene era cada uma delas, e houve uma noite em que por pouco não a chamou pelo nome da mulher do chefe. Na manhã seguinte, decidiu que era menos grave e perigoso fazer amor com outras mulheres que imaginar outras mulheres no corpo de Irene.

Mas faltava a oportunidade de passar à ação. No trabalho, todo mundo sabia que era casado, e Raul não queria correr riscos. Ciumenta do jeito que era, Irene nunca iria perdoá-lo, e colocar o casamento em perigo estava fora de cogitação. De modo que, quando soube das viagens ao Rio, não conseguiu conter um arrepio de secreta felicidade.

Já no primeiro dia longe de casa, percebeu que quase não tinha o que fazer. Solicitou ao gerente os últimos balancetes da loja, passou os olhos pelas mercadorias estocadas, pediu para olhar a última folha de pagamentos. As vendas estavam aquém do esperado, mas a rigor sua presença ali era dispensável. Depois de saber que o fornecedor com quem marcara um encontro não poderia vir porque tinha quebrado a perna jogando bola, percebeu que o melhor seria voltar para o hotel e ficar torcendo por novidades no dia seguinte.

Ligou a televisão no quarto do hotel. Estavam exibindo um programa sobre o desequilíbrio ecológico. Pesquisadores encheram dois tanques de vidro, um com água limpa, outro com água poluída, e em seguida jogaram um polvo na água poluída, sem prejuízo aparente à saúde do animal. Depois o jogaram na água limpa; o polvo se retorceu todo e morreu. Ligeiramente deprimido, Raul desligou o aparelho e desceu para passear na praia. Andou duas quadras e parou para tomar um chopp. Foi então que conheceu Juliana. Ela pediu fogo e se deixou ficar ali, no balcão do bar, molhando os lábios com a língua antes de agradecer. Meio sem jeito, Raul tentou puxar conversa, ela achou graça no seu sotaque mineiro. Ele perguntou se estava sozinha, ela respondeu que estava.

Não vale a pena entrar em detalhes sobre o que veio a seguir, essas histórias são sempre iguais. Basta dizer que jantaram juntos e que voltaram a se encontrar nas duas noites seguintes. Na terceira, ela o chamou para subir até o seu apartamento, e na quarta, e na quinta. Só há uma palavra para descrever o que aconteceu: loucura. Juliana era o tipo de mulher que faz de tudo e ainda pede mais. E como gemia, a putinha!

67

E que talento para dizer as palavras certas nos momentos adequados! E que corpo! "Sou mesmo um cara de sorte" Raul pensou, depois que se viram pela última vez, no domingo. Ao se deitar, lembrou que na manhã seguinte Irene, e o aeroporto, e o trabalho. Dormiu, exausto.

Acordou mais tarde que o planejado, teria que correr para chegar a tempo. Tomou banho e vestiu-se correndo, mas quando foi se pentear alguma coisa no espelho o deixou paralisado. Levou a mão ao pescoço, sem acreditar no que via, a marca de chupão mais que comprometedora, indisfarçável, irreparável. Começou a suar frio, mas o instinto de sobrevivência fez com que recuperasse o controle. Tinha que telefonar para Irene. Isso, telefonar para Irene.

Foi mais fácil do que pensava. A ocasião não faz só o ladrão, mas também o cínico, o covarde, o adúltero. Explicou a Irene que tinha problemas, que não o esperasse no aeroporto, que só chegaria à noite. Ela pareceu acreditar, até ali tudo bem — embora por dentro se sentisse um calhorda, um escroto. Jurou a si mesmo que se escapasse dessa nunca mais seria infiel, pedindo a Deus que o ajudasse.

Ao que parece, Deus acreditou na promessa. Quando já começava a se sentir novamente desesperado com a mancha que não saía, Raul se lembrou que às segundas-feiras Irene tinha curso de francês, que ela só chegaria em casa às 10 da noite. No vôo de volta reviu mentalmente os detalhes de seu plano e começou a ler *A modificação*, de Michel Butor, para se distrair. O texto da orelha do livro o desanimou: "um homem entre duas mulheres, entre duas cidades, numa viagem de trem".

Pois é, como eu disse, o casamento de Raul e Irene não era exatamente infeliz. Natural, portanto, que os dois estivessem com saudades depois de uma semana afastados. Estranhamente, Irene chegou mais tarde que o habitual, e encontrou Raul já deitado, no escuro. Ele nem precisava ter tido a idéia diabólica de desatarraxar a lâmpada do quarto, a chave de seu plano secreto. Irene foi direto para debaixo dos lençóis, extremamente carinhosa e sedutora, beijando Raul no rosto, na boca, no pescoço, e pedindo que também a beijasse.

A história termina na manhã seguinte. Enquanto Irene prepara o café, Raul entra na cozinha apontando para o próprio pescoço. "Olha só o que você fez. Hoje todo mundo vai reparar em mim," ele diz. "Em mim também", responde Irene.

Um acidente como outro qualquer

Quando a gente tira carteira é assim, o medo transformado em riso nas brincadeiras dos amigos, na hesitação exagerada antes de entrar no carro escondendo a hesitação verdadeira (diluída na amizade mas ainda assim presente como o perigo da auto-estrada, já tantos acidentes e tantas mortes, a cautela inevitável mesmo para mim). Mas nosso grupo era tão unido que ninguém era capaz de recusar quando Marcelo no volante acabava por torná-lo mais popular, todo mundo querendo dar conselhos a todo momento. Especialmente Leila, que de quando em quando lhe lançava um olhar não tão intenso quanto um olhar apaixonado mas de qualquer forma intenso, e sempre que eu não estava por perto, preparando os drinques ou lendo o jornal, aparentemente sem prestar nenhuma atenção no que os outros faziam.

Desde muito antes eu percebia esses olhares, mas naqueles dias eles iam se tornando particularmente mais evidentes, em si e em seu reflexo nos olhares de Carlos e Sandra, na maneira súbita como se calavam quando Vítor se aproximava, na maneira menos simpática que a habitual com que este passou a tratar Marcelo. Leila era a única que parecia não se dar conta de nada, totalmente alheia à cumplicidade que se estabelecia entre os outros, com uma indiferença que fazia tudo voltar a parecer apenas amizade, o apoio que se dá a um companheiro nas horas difíceis, coisas assim. Mas, em termos práticos, isso apenas adiava a verdade, a tradução verbal da indignação que invade Vítor que se perdia na inocência das conversas de sempre ou no silêncio. Era uma forma fácil de se evitarem as brigas, as discussões que ninguém tinha vontade de trazer para casa, todos já um pouco cansados disso tudo pelas respectivas experiências familiares, ainda recentes demais para se transformarem em saudade, na nostalgia serena com que se busca o passado perdido. Qualquer possível foco de tensão era logo sufocado, às vezes com um certo desconforto que sobrevivia ao fato de não falarmos, na maneira como todos se olhavam, na sutil mas ainda assim perceptível variação de humor em Vítor, ou em Carlos e Sandra, que embora não estivessem diretamente relacionados ao assunto acompanhavam tudo com atenção já que as conseqüências de uma aventura ou ruptura também recairiam sobre eles.

Às vezes surgia mais alguém, mas em geral estávamos apenas os cinco, o que já era por si só um fator complicador; um número ímpar nunca dá certo nesses casos, e ainda menos se levamos em conta que Carlos e Sandra não, que eles haviam por assim dizer superado o tipo de preocupação que por outro lado afligia tanto Vítor embora por vezes a dúvida, uma certa contrariedade estampada no rosto dele ou dela, inevitavelmente associada a uma briga, à perspectiva da breve separação). Mas isso só se percebe agora que tudo parece voltar à calma que permite a análise, a recordação de algo que enquanto presente passava desapercebido, como que evitando a consciência de cada um. Na época, no meio de tanto presente e de tantos encontros promovidos pelo acaso (o casal amigo de Carlos e Sandra, o mecânico que trabalhava com Vítor na oficina) era difícil até mesmo reconhecer o núcleo verdadeiro de um círculo de relações que parecia enorme (que a falta de ordem tornava enorme). Núcleo que podia ser definido quantitativamente, pela freqüência das idas ao cinema ou ao bar, mas sobretudo pelas reuniões na casa, os jogos de cartas quando faltava alguém e ficava a conta certa, ou a divisão entre o xadrez e a conversa inofensiva, o vôlei na televisão e os discos de Cole Porter, as piadas de mau gosto de Marcelo e o sono.

Voltou a se comportar como antes nos dias que se seguiram, dessa forma Leila sentiu-se mais à vontade para se aproximar de Marcelo, sem que lhe pesasse a consciência ou o medo. Aparentemente todos respiravam um pouco melhor, como que aliviados por uma certa conformidade da parte de Vítor, uma certa adequação geral a um presente que não podia ser ignorado indefinidamente, mais dia menos dia Marcelo e Leila, e era bom que Vítor estivesse preparado quando viesse a notícia. Como sempre, nessas circunstâncias, o silêncio ou a continuidade das conversas que pareciam nunca sair do mesmo ponto, a vaidade de Marcelo e os sorrisos de Leila. Em todo caso ainda a raiva, a possibilidade de não surgir tão cedo uma chance bastando para manter aceso o ciúme, o medo de perder Leila, e para Marcelo.

Era uma época de chuvas, naquele ano tinha começado mais cedo do que todos esperavam. Mas nem por isso Vítor ficava triste, aquele era talvez o primeiro sinal de que de alguma maneira incompreensível o caminho estava aberto à sua frente. Depois do último acidente Marcelo se mostrava cada vez mais cauteloso, a inesperada possibilidade de usar o carro todos os dias — ao menos enquanto Vítor continuasse a deixá-lo na garagem — não bastava para encorajá-lo, continuava se limitando a guiar nos finais de semana, quando no meio do caminho Carlos trocava de lugar com ele para que treinasse um pouco, bem devagar e em direção à praia, para então um piquinique ou simplesmente um passeio, mudar de idéia no meio do caminho por causa das nuvens carregadas de chuva, o vento frio

72

antes da súbita vontade de levantar o vidro da janela. Normalmente nada mais que isso, mas é justamente quando tudo parece normal que ocorre algo imprevisto, e assim a ausência de surpresas naquele dia podia ser mais um dado favorável, mais dia menos dia a necessidade do carro em plena chuva, alguma coisa teria que acontecer.

E de fato foi assim, o momento acabou por chegar num telefonema inesperado, a mãe de Marcelo que tinha ficado doente, a irmã que Vítor nem sabia existir mas que ligava providencialmente, venha o mais rápido possível, é grave. Foi bom que ele não estivesse em casa, porque no último instante talvez o remorso, e ele seria capaz de inventar uma desculpa qualquer, ainda que fosse a verdade dita de uma outra forma, o carro estava com um defeito, uma roda estava travando. Mas não, quando tudo se deu Vítor estava em pleno trabalho, só soube do acidente de noite, ao chegar em casa.

É quase engraçado pensar que naquela tarde tinha pensado em voltar a usar o carro, porque tudo já parecia tão pouco provável que nem havia mais lugar para o remorso ou a pressa, para talvez interromper tudo e ligar para casa e avisar, não deixar ninguém usar o carro, hoje de manhã descobri um problema nas rodas. Aqui novamente o acaso, a inutilidade de semanas seguidas de espera sem que nada acontecesse bastando para envolver tudo na lógica que permitia esperar mais um pouco, mesmo porque apenas mais algumas horas e tanta coisa para fazer na oficina, melhor não pensar mais nisso.

Foi o que fiz, não foi preciso um esforço muito grande para me concentrar no trabalho, não era bom ficar pensando que dali a algumas horas Leila e Marcelo, que por fim admitir que tinha perdido, que ela nunca mais seria sua, que passava ele próprio a desempenhar o papel que sobrava, o papel que sempre tinha sido de Marcelo em meio a Vítor e Leila, a Carlos e Sandra. "Vítor, aconteceu uma coisa horrível!", Leila conseguiu dizer em meio ao choro enquanto corria em minha direção e me abraçava mal eu tinha chegado. Não foi preciso fingir surpresa, o espanto foi natural em meio à certeza de que aquela seria uma noite como as outras. Era mais fácil ler em seu olhar que nas palavras cheios de choro o que tinha acontecido, e além do mais não era difícil prever, depois de tanta chuva a estrada estava impraticável. O acidente tinha ocorrido horas antes, surpreendentemente Marcelo resistiu quase até chegar ao hospital, mas então...

Então a frase interrompida pela metade, era tudo tão horrível e as lágrimas e não devia ter deixado Marcelo sair mas como sempre tarde demais, era tudo tão horrível. Ouvi em silêncio a tristeza de Leila, a surpresa de Carlos e Sandra se derramando em frases assim, tão sem sentido quanto qualquer outra naquelas circunstâncias. Leila não queria se afastar de mim e por um instante pensei que ia ser sempre assim, que nunca íamos nos separar. Mas no momento seguinte não, algo como a súbita consciência do que eu tinha feito desabava sobre mim e tornava quase desagradável o contato do corpo de Leila no de Vítor, contato que se perdia no que parecia ser o remorso mas que não, claro que não e que bobagem, tinha sido tudo um acidente.

Todas as histórias de amor terminam mal

"**N**unca vou esquecer o que você me fez. Um dia você vai pagar por isso". Assim se despediram, nele o rosto sólido e sério escondendo o coração a mil e o friozinho que a gente sente sempre que percebe que alguém nos odeia, nela o descontrole, a raiva, a dor. E nos dois a certeza de que nunca mais iam se ver.

Se você for olhar de perto, todas as histórias de amor terminam mal.

Aula de Química

As árvores passando em alta velocidade em sentido contrário ao da janela do carro, depois pouco a pouco menos rápidas, parando, parando, desaparecendo para darem lugar a algo mais familiar, o muro do colégio, aquele muro comprido, quase que do tamanho do quarteirão, ao lado do qual todos os dias se reuniam grupos de estudantes, nos intervalos das aulas, invariavelmente. Mas agora estava vazio, não se via nenhum uniforme, nenhuma saia pregueada azul-marinho esvoaçando ao vento, o que confirmava que estava atrasada, apesar de ter vindo de carro com seu pai, mesmo assim não chegaria a tempo de pegar o início da aula, que pena. Não tanto por ela, que não estava se importando muito com isso, mas por causa de seu pai, que tivera o trabalho de trazê-la de carro até aqui só porque ela havia acordado tarde. A escola não ficava longe de sua casa, tanto que normalmente fazia aquele percurso a pé, mas ficava na direção oposta ao do trabalho de seu pai, que, portanto, arriscava-se a chegar tarde no escritório.

De qualquer forma gostara de ter vindo de carro, há muito tempo isso não acontecia. Afinal de contas, a escola ficava tão perto de sua casa, não valia a pena dar tanto trabalho a seu pai, costumava dizer a mãe, entre um elogio e outro à beleza da filha, não valia a pena. Normalmente quando vinha a pé ela nem reparava na paisagem, nas árvores, no muro do colégio, era só andar e pronto, mas desta vez não, sentada

76

no assento traseiro do carro ela grudava os olhos no vidro da janela, vendo uma porção de coisa que ela nem imaginava existirem, por isso ela tinha gostado da carona, mesmo chegando atrasada, tudo tinha sido para ela como um passeio, como aqueles que ela fazia quando era criança, bons tempos aqueles, às vezes chegava a ter saudade, ainda mais agora que as responsabilidades começavam a se avolumar, agora que ela começava a depender de si mesma e que todos passavam a cobrar uma série de atitudes e definições em relação a tantas coisas... E depois, não era só isso, mais dois anos e viria o vestibular, a faculdade e o desligamento completo de todas as coisas que haviam estado presentes em sua vida até então, coisas que lhe eram caras como brincar com o cachorro, implicar com o irmão caçula e uma série de outros comportamentos que certamente não ficariam bem quando ela estivesse um pouco mais crescida.

Curioso era notar como ela tinha pensado em tudo aquilo freqüentemente nos últimos meses, curioso ver-se pensando tanto numa mesma coisa por si mesma. Mas agora não, depois voltaria a meditar sobre esse assunto, porque agora química. Lamentavelmente, porque detestava química, aliás como a grande maioria de suas colegas, mas com ela pior, porque as outras, mal ou bem, conseguiam se virar, esforçando-se por compreender a matéria apesar da irritação que esta lhes causava, enquanto ela não suportava nem ouvir falar no assunto, era como se a simples reunião daquelas sete letras provocasse nela uma tal repugnância e enjôo que o resto do dia em que isto acontecia estava irremediavelmente perdido.

Respirou fundo e entrou na sala de aula, sem levantar os olhos para o professor, que detestava ter sua aula interrompida. Depois sentou-se, deu um rápido aceno para a amiga, sentada do outro lado da sala

77

e só então pareceu dar-se conta do lugar onde estava, quando palavras estranhas e feias começavam a ferir os seus delicados ouvidos, como números de oxidação, reações de oxi-redução, até que isso não era difícil, mas era tão insuportavelmente chato... E o professor sempre piorava as coisas, chamando a atenção para a importância daquela matéria, "isso aqui é muito importante", ele dizia, ajeitando os óculos que lhe escorregavam pelo nariz, "isso aqui é muito importante, vocês nem podem imaginar", como se para ele houvesse alguma coisa sem importância na matéria que dava. Mas o pior não era isso, se fosse assim podia-se simplesmente tentar pensar em outra coisa, na festa de sábado por exemplo; o pior era quando ele apontava com o giz para alguma aluna, dizendo-lhe que fosse ao quadro-negro, e daquela vez exatamente ela, "para mim não, por favor, não aponte para mim", ela pensava, mas era justamente para ela que o giz apontava, tinha sido de propósito, só por causa do seu atraso, ela sabia, ele tinha feito de propósito. Mas não podia fazer nada, tinha que se levantar e cumprir com o ritual, levantar-se e caminhar até o quadro-negro para então responder que não sabia, porque era fatal que ela não soubesse, era fatal que ele chamasse exatamente as que não sabiam para responder as suas perguntas, ao invés de chamar aquelas patetas que se sentavam na primeira fila, que deveriam rezar para ser chamadas ao quadro.

De volta a seu lugar ela pensou que não era só por causa do atraso, já havia reparado que ele costumava olhar para ela de uma maneira estranha, desde as primeiras aulas, quando então química orgânica, alcanos e alcadienos, e nenhum motivo para aquelas olhadas de esguelha, nenhum atraso, nada que pudesse justificar qualquer prevenção em relação a ela por parte do professor. Tinha até mesmo diminuído os gracejos com a colega do lado porque havia decidido melhorar seu comportamento na classe, especialmente na aula dele. Até que no começo ainda parecia fácil, mas depois tudo começou a se complicar, uma lástima, todos aqueles nomes, não seria capaz de decorá-los nem em anos, que dizer em um mês, já que a prova final estava marcada para o final de junho, a última prova, graças a Deus, e depois férias e tudo o mais. Contudo, teria que passar antes pela prova, e o pensamento de que poderia ver suas férias adiadas por causa daquela matéria fez com que ela tentasse, num esforço sobre-humano, prestar mais atenção àquela aula, mas era inútil, tudo era aldeídos e peróxidos de benzoíla, radicais que se conectavam de uma forma incompreensível, e ela não conseguia de forma alguma concentrar-se. Felizmente a sineta tocou depois, encerrando a aula e o seu complexo de culpa por haver, de uma vez por todas, desistido de estudar aquela matéria. Na saída, ao menos, não se veria forçada a pensar mais nisso, havia as conversas em frente ao portão do colégio, ao lado do muro, e toda aquela algazarra, com algumas alunas retardatárias arrumando às pressas o material em suas bolsas, enquanto saíam da escola e se encaminhavam para suas casas.

Com ela era a mesma coisa, só que, por morar tão perto, ia para casa a pé, enquanto a maioria de suas colegas, conforme pertencessem a famílias ricas ou pobres, entravam nos carros de luxo que já as esperavam em frente ao muro, ou então caminhavam até o ponto de ônibus, mas tanto umas como outras rindo e conversando despreocupadamente, como se a vida fosse apenas isso, a família, o colégio, os passeios e saídas nos fins de semana. Para ela, então, andar até em casa, brincar com o cachorro e com o irmão caçula, para depois a televisão ligada e o beijo no pai que chegava do trabalho. Sim, havia conseguido chegar a tempo de pegar o início da aula, mentiu, vendo o pai satisfeito, e, a propósito, como é que estavam as aulas? Tudo bem, ela estava gostando. Sábado ela tinha uma festa para ir, acariciando o cachorro e olhando para o pai. Claro, podia ir, desde que não chegasse tão tarde quanto da última vez, embora, no fundo, ele soubesse que ela chegaria tarde, de agora em diante não adiantava dizer que não, ela já estava crescida, era uma moça. Depois, de novo a televisão e pensar que no sábado a festa, de vez em quando prova de química, mas não, não queria pensar nisso agora, só na festa de sábado, mas não adiantava, não dominava seus pensamentos, era como se tivesse dentro de si outra Isabela, que insistia em pensar em coisas desagradáveis, na prova de química, no professor... Sim, até no professor, cuja imagem intrometia-se em seus pensamentos, dizendo "isso é muito importante", ou apontando para ela um pedaço de giz e chamando seu nome. Pela primeira vez pensou nele de outra maneira e viu que com ela era diferente, não é pelos olhares que ele de vez em quando lhe dirigia, não, isso não era nada, também era algo relacionado com o jeito dele, meio caladão, e talvez tivesse alguma coisa a ver com o fato de ele ser ainda tão jovem e já dar aulas, mas ela não sabia, estava confusa, preocupada por pensar nele quando só queria pensar na festa de sábado.

Na manhã seguinte, novamente ouvi-lo dizer que o que estava no quadro era algo muito importante e olhar só por olhar, tanto porque sabia de antemão que não compreenderia absolutamente nada do que estava escrito. E, de fato, não compreendeu, soube apenas que era alguma coisa relacionada a ligações eletrovalentes e covalentes, ou alguma coisa parecida, não sabia bem. Ao olhar aquele sem-número de letras e traços e setas apontadas para o alto e para os lados, ela só conseguia se indagar que motivações levariam uma pessoa a se dedicar ao estudo de algo tão árido e desprovido de interesse quanto a química, ainda mais sendo jovem, com tantas coisas interessantes para se fazer. Chegou a sentir uma sincera piedade por seu professor, por ele e por tudo que ele simbolizava, toda uma juventude perdida, sem sonhos, sem nada. Em todas as gerações, até mesmo na sua, ela pensou, havia um bom número de pessoas dessa espécie, como sua prima Glória, por exemplo, ou como Clóvis, o aluno que sentava à sua frente no curso de inglês. Vivem sem viver, parece que tudo para eles tem o peso de uma obrigação, de um fardo que somos obrigados a carregar, ela pensava, enquanto reparava que mais uma vez o professor a olhava, por detrás das lentes embaçadas de seus óculos. O simples fato de achar importante saber que o carbono é tetravalente ou que os gases nobres possuem oito elétrons em sua última camada energética já bastava para despertar nela a mais profunda comiseração, e ela se surpreendia ao constatar que suas colegas não compartilhavam desse sentimento.

Só conseguiu realmente tirá-lo por completo de sua cabeça no sábado à noite, quando então a festa e o vestido novo e tantos rapazes da sua idade, com uma aparência tão saudável e jovial, e todas as suas amigas, foi tudo tão bom! Infelizmente festas como aquela se tornavam cada dia mais raras e o tempo que se interpunha entre uma e outra parecia passar mais devagar que o normal, embora ela fosse de opinião que o tempo passava a cada ano mais depressa, especialmente na época dos exames, quando caem por terra, um após outro, todos os infalíveis planos de estudo e, quando menos se espera, chega o dia da prova, ainda com mais da metade da matéria a ser estudada. E era exatamente o seu caso, só que ainda pior, porque Isabela julgava não saber nem mesmo o suficiente para ter alguma esperança de passar, aquela esperança que se tem quando tudo parece perdido, de forma que pensava já em nem ir fazer a prova final de química, depois poderia inventar que estivera doente, não tinha nada a perder. Um obstáculo, contudo, parecia impossibilitar a execução desse plano: teria que enganar também a seus pais, o que lhe parecia algo impossível de ser feito.

Segunda-feira outra vez a aula de química, outra vez o quadro-negro com algo muito importante, mas para ela o olhar nublado, já perdida nas recordações de sábado, distraída por antecipação, antes mesmo de o professor começar a falar, as pernas inocentemente cruzadas à frente dela, e de repente pensar tudo aquilo, ainda mais que ela estava com um sorriso nos lábios, que lhe pareceram sedutores, mas não, claro que não, era pouco mais do que uma criança, estava pensando bobagens, ainda que mais não fosse porque Isabela era sua aluna, motivo mais do que sificiente para nem mesmo aventar a possibilidade de que os dois, e ele nem mesmo sabia porque estava pensando tanto no assunto, até esquecera da aula, quando tudo não passava de um absurdo. E de fato havia sido um mal entendido de sua parte, soube-o quando ela reparou que ele a olhava e subitamente enrubesceu, envergonhada, descruzando imediatamente as pernas e baixando os olhos, de uma forma que lhe pareceu encantadora, pela espontaneidade com que ela o fizera. Devia sentir-se envergonhado, pensar que ela seria capaz e então novamente o quadro-negro e alguns radicais que deviam ser memorizados, já que eram muito importantes, muito mesmo, hieróglifos incompreensíveis para ela, melhor voltar às recordações da festa de sábado.

Talvez de fato não houvesse pensado nada então, ela mesmo não o sabia ao certo, talvez tudo tenha surgido de uma vez só em sua mente, sim, isso era o mais provável, que tudo tivesse aflorado em seu pensamento alguns instantes depois de ter ruborizado e

82

desviado seus olhos dos do professor, que a procuravam, ela sabia, fitavam-na com uma expressão que denotava qualquer coisa de incompreensível, algo ainda inédito para ela. De uma forma ou de outra viu-se arquitetando tudo, completamente alheia ao final da aula. Por que não?, ela se perguntava, agora que o acaso lhe havia acenado com essa possibilidade inesperada, agora que surgia uma chance irrecusável de se salvar, quando já pensava que tudo estava irremediavelmente perdido. Pensou na fisionomia do pai, pensou no pai e na mãe tristes, embora tentando esconder seus sentimentos, como sempre. Iriam se conformar, é claro, mas que pena, nunca tinha sido reprovada em nenhuma matéria, culpa do professor, não faz mal, minha filha, você é tão novinha. E de repente uma possibilidade de mudar tudo, queria dizer, mudar para si mesma, mudar para que nada mudasse em casa, em seus pais...

Bastava que ela quisesse, a escolha lhe pertencia, e talvez pela primeira vez em sua vida Isabela sentia o peso de ser livre para tomar uma decisão que alteraria substancialmente a sua vida. Seria mais fácil se tudo fosse como antes, quando a escolha era feita por outros, por seu pai, por sua mãe. Sentia contudo que a escolha já havia sido feita, era como se ainda dessa vez não lhe coubesse decidir, mas então a quem caberia fazê-lo, já que planejara tudo sozinha, sem consultar a ninguém? Não sabia e, no entanto, parecia não se importar muito com isso, bastava agora que o acaso também desse a sua contribuição, fazendo com que ele a olhasse antes de ela contar até dez. Caso contrário não, desistir de tudo e preparar-se para as conseqüências, quando então quatro, cinco e começar a sentir-se aliviada, apesar de saber-se capaz de tudo aquilo, apesar da certeza de que tudo era realizável, concreto, palpável. Mas se o fizesse seria como se estivesse optando

83

por uma longa e sinuosa estrada, de destino incerto, quando a outra hipótese, tão palpável agora que sete, oito, representava um fim em si mesma, uma possibilidade de descanso, um atalho curto e pedregoso, mas seguro.

Não precisou preocupar-se por muito tempo, antes do nove o olhar direto e inegável do professor, a decisão, portanto, estava tomada, irreversivelmente tomada. Não era capaz de dizer se estava ou não satisfeita, mas de todo modo tentou convencer-se de que não era apenas a nota, também ele, por ser tão calado e sem jeito, por causa da maneira como ele empurrava os óculos nariz acima ou esfregava as mãos uma na outra para limpá-las do pó do giz. Sim, de fato quase chegava a gostar dele, em outras circunstâncias talvez até o mesmo se desse entre os dois, de uma forma mais natural, longe de reações químicas, longe dos exames finais. Pois sabia que ele também se sentia atraído por ela, bastariam os olhares, mas não só dessa maneira, porque algo já existia desde antes das pernas cruzadas e tudo mais, sabia-o pelo tom de sua voz quando pronunciava seu nome ao fazer a chamada e pelo jeito simpático com que ele a cumprimentou numa das primeiras aulas, quando por ser tão novo no colégio, procurava de todas as maneiras agradar às alunas, pareceu-lhes simpático, não que sua permanência ali estivesse na dependência de um bom relacionamento com elas, mas julgava que causar uma boa impressão nas primeiras semanas facilitaria enormemente o seu trabalho. Pois bem, sabia-o por essas e por outras razões e no momento isso lhe bastava para prosseguir, agora que a decisão já estava tomada.

Foi tudo tão rápido que ela nem acreditou que havia hesitado tanto por causa de algo tão simples. Bastou que mais alguns dias se passassem, aproximando-a mais da data da prova, para que tomasse enfim a coragem necessária para começar a agir. Durante esses dias, pelo menos, obtivera a certeza de que ele estava em suas mãos, e essa certeza encheu-a de uma segurança e ousadia que não julgava possuir. Na segunda, alguns olhares provocantes e ver que ele correspondia da forma esperada. Na terça, o mesmo jogo e pronto, tudo parecia encaminhar-se bem, até que chamou-a ao quadro. Por um instante, julgou que estava enganada, porque a princípio era só estar sendo chamada ao quadro, mas depois compreendeu tudo, compreendeu que tratava-se apenas de uma desculpa para depois. Não precisou representar para dizer que não sabia a resposta, embora ele talvez estivesse pensando que sim. Talvez, não, mas isso já não importava, importava apenas que ela dissesse que não, bastava que o fizesse, e isso aliás nada significava de anormal, ao menos nada para as colegas, já que para ela cada segundo passava a ser vital. Mas subitamente até para as outras o aparentemente banal adquiria importância, bastou que ele dissesse "você fica" ao fazer a chamada para que elas soubessem que daquela vez algo mais grave e sério, embora nem metade tão sério quanto para ela, mas obviamente as colegas não sabiam de nada, simplesmente limitavam-se a sair da sala, cabisbaixas, numa atitude respeitosa ante a má sorte de Isabela, embora para algumas a culpa fosse mesmo dela, que estava recebendo o que merecia, mas não para a maioria, que no portão coitada dela, entre despedidas e beijinhos, e depois o silêncio, os vários silêncios de todas elas, cada uma seguindo em uma direção, a caminho de suas casas.

Subitamente, viu-se sozinha com ele, e a sala vazia pareceu-lhe imensa, assustadora. Sabia que agora os acontecimentos se sucederiam independentes de sua vontade, já havia feito a sua parte antes. Sabia também que para ela apenas o início, a introdução de tudo

85

o que viria depois, que ela já lia nos olhos do professor, quando ela sentiu-se invadida por algo parecido com arrependimento e vergonha de tudo aquilo, de estar ali à frente dele e de saber-se já pertencendo à memória dele, para sempre. Chegou a pensar em voltar atrás e fugir, ele não faria nada com medo do escândalo, mas não, agora que já estava ali iria até o fim, e além do mais já não seria mesmo possível, pois no instante seguinte sentia as mãos sujas de giz em contato com suas costas, na tentativa de um gesto carinhoso, que ela repeliu.

Ele, contudo, parecia disposto a cumprir seu papel, o momento era propício, não seriam surpreendidos. Aproximou ainda mais seu rosto do dela, e Isabela não tinha para onde recuar, atrás de si o quadro-negro, à sua frente ele e a mesa, e então descobrir-se sem saída e ouvi-lo sussurrando em seus ouvidos, "fiz aquilo de propósito", a voz efegante, ocupando-se em tomar para si a responsabilidade de tudo, "queria estar só com você" e então beijá-la diversas vezes, a resistência dela alimentando seu desejo. Melhor levar tudo até o fim, ela pensava, não demorará muito, melhor tentar pensar em outras coisas, no portão da escola, no caminho de casa, nas árvores. Talvez por isso tenha deixado de sentir-se ali, de senti-lo e de sentir medo. De uma forma ou de outra, alguma coisa mudava e saía do rumo, enquanto ele, enquanto ela, enquanto os dois, mas não agora, ainda não, talvez porque estivesse se preocupando com tantas coisas, ou porque a mesa fosse tão dura e desconfortável, mas de qualquer forma tentar de novo e quase nada, e ela pensando em tantas coisas e tudo ruindo à sua volta, por ele estar tão nervoso e por subitamente ver-se e vê-la com outros olhos, agora que tudo perdia a magia, agora que tudo revelava-se tão brutalmente verdadeiro, e sem sentido.

Depois o silêncio. Nem ele nem ela quiseram falar nada daquilo que tinham planejado, ele evitando mais do que ela e o encontro dos olhares, antecipando as palavras que ela felizmente não pronunciou. Estavam novamente tão afastados quanto antes, talvez mais até, embora tivessem estado tão próximos que quase formavam um só e soubessem que de qualquer maneira suas vidas já estavam entrelaçadas definitivamente, mesmo que depois a vergonha e os acontecimentos que se tornariam realidade, estavam presos e condenados a carregarem a lembrança daqueles momentos. Para ele era pior, porque formulava em pensamento tudo isso, para ela nem tanto, apenas sentimento, apenas um saber não discursivo, indefinido e difuso, que Isabellogo julgaria esquecer, embora no fundo também para ela marcas daquele passado imutável.

Felizmente, ainda não tinha consciência disso, não tinha e não queria ter, sentia-se cansada e sem disposição para se defender, naquele momento apenas ajeitar a saia amarrotada e os cabelos despenteados e vê-lo limpando o guarda-pó sujo de giz, vê-lo colocar os óculos e encerrar o ritual de queima de vestígios, que sugeriam mais do que o havido. Na despedida, em frente ao portão do colégio, apenas um murmúrio e o desejo de encurtar ao máximo aqueles momentos, depois tomar o caminho oposto ao dele e não olhar para trás. Agora sentia-se bem, sentia prazer em respirar novamente ar puro e em poder movimentar-se livremente, sem estar confinada nos braços dele, pelo quadro e pelo pó de giz. Agora já não estava mais arrependida já que tudo havia sido tão fácil e já era passado, sem falar na sorte que tivera por ele estar tão nervoso e tenso, por ter conseguido pensar em tantas outras coisas nos momentos cruciais em que tudo foi apenas quase. Agora só o silêncio e a companhia das árvores e da liberdade, no solitário caminho de casa, onde poderia descansar e tomar um banho, ver televisão e pensar melhor em tudo aquilo, tentar acreditar que realmente havia sido capaz de fazê-lo.

Já nem se preocupava com a semana seguinte, quando então a prova e o medo estampado na fisionomia das colegas, mas não do dela, naturalmente, não tinha o que temer. Escreveria qualquer coisa e sairia logo para a rua, ou talvez não, melhor representar um pouco e demorar-se diante da folha em branco, o importante era que escrevesse seu nome bem claramente, para que ele soubesse que a prova era sua. O desejo de não tornar a vê-lo fez com que chegasse a pensar em nem comparecer, mas julgou que isso seria muito arriscado, melhor não dar ao acaso nenhuma oportunidade de engano, portanto estaria lá, sim, numa das primeiras filas, ela pensava enquanto via televisão, ruborizando ao imaginar que também cruzaria as pernas, forçando-o a pensar nela durante todo o tempo, talvez até diminuísse a bainha da saia, mas logo afastou esses pensamentos para longe de si, nem sabia porque estava se preocupando com tamanha bobagem. Além do mais, ele poderia querer outra vez, e talvez então não estivesse tão quente na sala de aula, talvez o giz não incomodasse tanto e a mesa não estivesse tão desconfortável, e então talvez sim, dificilmente ocorreria de novo, para quê arriscar-se?

Não, seria loucura, apenas fantasia, e era tão bom que fosse assim, Isabela constatava que estava de volta ao antes, às brincadeiras com o cachorro, aos abraços dos pais, embora nesse caso nem tanto, porque a inevitável lembrança dos dele, tão diferentes e nervosos, fazia com que se perguntasse até quando, mas logo depois se convencia que mesmo isso passaria, com o tempo. Estava de volta à televisão nas tardes vazias e aos bailes e festas nas noites de sábado, quando estar junta com tantos rapazes e moças da sua idade lhe fazia tão bem, era algo que só agora compreendia de fato. E tudo isso conquistado por tão pouco, por apenas um estar disposta a, mesmo que quando criança lhe houvessem ensinado que a intenção não se distinguia do ato, que a culpa era a mesma, mas isso era obviamente uma tolice, sabia que não era assim, sentia que não. De uma forma ou de outra, tinha conseguido o que queria, mesmo que alguma coisa tivesse saído errada, porque o desconforto da mesa e o pó de giz, porque os princípios e a moral prevalecendo no último instante, nada disso importava, a culpa não era dela, fizera a sua parte, só restava aguardar que ele fizesse a dele para enterrar tudo no esquecimento.

Não quis pensar mais nisso, apenas deixar que se passassem mais alguns dias para então a prova e as férias, a praia e talvez uma viagem, seu pai andava tão contente... E ela também, afinal de contas nunca mais ouvi-lo pronunciar seu nome ao fazer a chamada, nunca mais surpreender os seus olhares e vê-lo ajeitando os óculos, nunca mais ele e a eterna possibilidade de fracasso rondando à sua volta. Mal podia esperar que se passassem os dias. Durante aquela semana, viveria apenas na expectativa do que viria depois.

Só foi às aulas porque não ir poderia trazer problemas, como perguntas dos pais, coisas assim. Estava toda alegre, as amigas até repararam, pois é. E a prova de química, que coisa, não? Você está preparada? Não, tenho que estudar, eu também, mas Isabela não parece preocupada, e deveria estar? De que adiantaria, elas é que estavam apreensivas demais, e ainda bem que logo depois a sineta tocando e a conversa interrompida, antes que lhe pudessem responder. Não que elas representassem uma ameaça, não teriam como saber de nada, e mesmo que soubessem não haveria nenhum problema, elas eram de confiança. Mas não saberiam, ela preferia que fosse assim, naturalmente.

Só mais cinco dias, e o tempo parecia passar tão rapidamente que logo apenas quatro, três, e as amigas estudando até nos intervalos, quase se sentia sozinha, dois, um e finalmente o dia da prova. Pelo menos, não teriam muito o que esperar, porque o professor havia prometido trazer as notas no dia seguinte, estava atrasado, a única matéria que faltava era química, todas as outras já haviam terminado, em todas as outras ela tinha sido aprovada. Portanto, já se sentia de férias quando se sentou e recebeu a prova, e então o silêncio, vários silêncios, só quebrados de vez em quando por um pigarrear nervoso de alguma aluna, ou pela ponta de um lápis se quebrando. Ele não olhava para Isabela, evitava seu rosto, seu olhar. De vez em quando se distraía e olhava, mas antes disso despertava a tempo de desviar na última hora o seu olhar. Entre os dois agora apenas o tentar esquecer-se mutuamente, apenas desconforto e repulsa, de forma que o ar se tornava irrespirável para ela, que, esquecendo-se do que havia planejado, foi a primeira a entregar a prova, tomando cuidado para que ninguém visse que estava quase em branco, e nem mesmo nesse momento, quando estavam tão perto um do outro e suas mãos quase chegavam a se tocar, nem mesmo então eles se olharam, foi como na despedida no portão, apenas o fundamental e rigidamente necessário, tudo muito rápido, quase uma formalidade, tediosa e inevitável.

Tanto melhor, Isabela pensava, quando mais uma vez o caminho de casa, as árvores e o silêncio, pela última vez, exceto o dia seguinte, é claro, mas então apenas buscar a nota e o boletim, para depois chegar em casa e estar de férias, talvez até o abraço dos pais e a prometida viagem, afinal de contas mais uma vez havia passado em todas as matérias. Sentia-se a um só tempo feliz e incrédula, por verificar que reconquistara tanta coisa aparentemente perdida em troca apenas de uma lembrança. Pois tudo agora não passava de uma lembrança, lembrança de algo irrealizado e passado, era um pouco como quando tinha quebrado a perna, ainda menina, a dor só existiu enquanto presente e concreta, depois não, depois apenas a lembrança indolor e passageira, logo soterrada por festas e passeios. O mesmo destino que aguardava a lembrança atual, só que esta provavelmente se dissiparia ainda mais depressa, porque não havia dor, nem tristeza, apenas lembrança.

Na manhã seguinte caminhar calmamente até o colégio, e a serenidade estampada em seu rosto contrastava brutamente com o nervosismo e a apreensão de cada rosto, de todos os rostos femininos como que reunidos num só, todos aglomerados no corredor, onde um bolo de alunas se debruçava para ver melhor o papel preso na parede. Compreendeu que eram as notas, que haviam sido afixadas ali porque a secretaria era pequena, e por causa disso aquele tumulto, aquela massa amorfa de onde eventualmente surgia um rosto alegre ou triste, conforme o resultado da prova.

Resolveu esperar que o tumulto se desfizesse, que as alunas se dispersassem, para ir ver sua nota. Não queria se misturar a elas, não só porque tinha aversão a aglomerações como também porque não se sentia pertencendo ao grupo delas, não havia compartilhado de nenhum dos momentos por elas vividos, nem no estudo, nem na angústia, nada. Além disso não seria justo adiar com sua presença o momento de cada uma delas ver sua nota tão ansiosamente esperada, não seria justo.

Em alguns minutos, o corredor estava quase vazio, e só então ela julgou adequado aproximar-se daquele papel preso na parede. Antes disso, porém, algo de inesperado ocorreu, quando olhava algumas colegas caminhando em sua direção e uma delas lhe sorriu como se sorri para um doente prestes a morrer, era como se desejasse dividir uma culpa que ela absolutamente não possuía, ou pelo menos pensava não possuir, a não ser que estivesse enganada, mas isso pressupunha algo de inimaginável, algo cruel demais para ser verdade. E no entanto nada mais que isso, soube de tudo ao olhar para o seu nome e não compreender que devia aliá-lo à nota que se seguia. Não era capaz de fazê-lo, mas sabia já que era verdade, que havia sido reprovada apesar de tudo aquilo, embora na realidade nada, mas a culpa não havia sido dela, ele não podia. Não podia tê-lo feito mas o fizera, também aquilo já era passado, o seu nome e a reprovação, e não só isso, também o fim das férias e tudo mais, quase não ousava acreditar. Via seu nome e via a nota e não conseguia ligá-los, ou talvez não o fizesse por receio de não poder suportar a consciência de tudo, de que a seu nome correspondia aquela nota, mas isso já não tinha importância, tudo estava irremediavelmente perdido e só lhe restava o silêncio e caminhar lentamente até a casa, lentamente, como que tentando adiar o momento da chegada e de deixar para trás a companhia das árvores.

A perseguição

Estávamos em plena ditadura, lembro que naquele ano dois professores foram demitidos, era comum ficarmos sem aula uma semana inteira. Hoje tudo parece um absurdo tão grande que mal dá para acreditar, parece que as palavras não chegam para convencer que as coisas de fato aconteciam assim, que eu de fato sentia medo a ponto de evitar conversar com estranhos. Claro que dessa forma deixava de conhecer muita gente, mas o fato é que quando se está proibido até de conversar em grupos de mais de quatro pessoas, o medo passa a prevalecer onde antes talvez a simpática vontade de novas relações, de estabelecer novas conquistas (durante um mês inteiro me perguntei se a aluna nova de olhos azuis não era uma agente infiltrada, quase cedendo à atração que ela me despertava, até que um outro passou à minha frente e tirou ele próprio a dúvida), entrar em contato com novas idéias. Em todo caso a gente ia levando, tocando para frente com o máximo de cautela o barco que por vezes parecia prestes a naufragar (perdi a conta dos boatos que corriam dizendo que a escola ia fechar). Assim ao medo se somava um outro motivo (ou o mesmo em uma de suas variantes) para suportar a solidão de um ou dois colegas de confiança e um único professor: a convicção de que era preferível permanecer calado a construir relações através das tolices que podiam ser ditas sem medo, o campeonato de futebol, o conjunto da moda, os filmes da televisão (por outro lado talvez fossem justamente esses os assuntos que pudessem interessar à aluna de olhos azuis, e nesse caso eu talvez mudaria de idéia; mas demorei muito a me decidir, coisas da vida). A não ser que uma súbita e incontrolável irritação me levasse a ignorar os riscos, a falar de política com o primeiro desconhecido que eu encontrasse no corredor, mas a lembrança de colegas desaparecidos tornava improvável algo do gênero. É como numa peça ou num filme que vi, não me lembro bem, lembro apenas que foi antes do golpe (desnecessário dizer) e que um personagem dizia que o medo lhe dava sede, tanta sede que ele engolia a língua. A frase ficou guardada sabe-se lá por quê, era assim que a gente se sentia na época.

Você sabe de tudo isso tão bem quanto eu, também você deve ter sentido uma raiva incontrolável quando foi cancelado o seminário sobre problemas da universidade, ou quando foi proibido o debate sobre assuntos externos (a mesma raiva que agora busco em vão recuperar, ao menos para afastar de mim essa melancolia tão mais triste e tão mais profunda, a melancolia de passar as tardes na biblioteca e me sentir tão sozinho, mesmo que agora haja tantos livros, alguns até vêm de fora). Mas como protestar quando sabíamos que menos que uma suspeita bastava para a prisão ou coisa muito pior, as conversas de pé-de-ouvido em que eu me recusava a acreditar mas que voltavam depois nos pesadelos, as salas sem janelas, as torturas? Como evitar que nos arrancassem com tanta facilidade e cumplicidade o silêncio, que as lágrimas de às vezes não bastavam para atenuar?

Mas ainda assim elas vinham, havia momentos em que era impossível evitar o choro, e se fosse na sala de aula era bom inventar um bom motivo — uma doença na família, por exemplo, dificuldades financeiras não eram aconselháveis numa época de tanta prosperidade — antes que o inevitável falso aluno ou mesmo o professor julgassem perceber uma insatisfação nada elogiável na situação em que vivíamos. Não digo que o choro bastasse para uma investigação, mas é difícil erguer barreiras entre o certo e o duvidoso, ali onde justamente a barreira da lógica foi derrubada tão violentamente pela força. E assim era comum perceber um soluço abafado ao passar pela porta do banheiro, ou na biblioteca.

Naturalmente não havia muita coisa para fazer nas horas vagas, os cinemas alternavam reprises americanas da década de 50 com documentários de direita (os nacionais eram de péssima qualidade e faziam rir em sua exaltação às forças armadas; os importados eram muito bem feitos e geralmente versavam sobre o imperialismo soviético, a primavera de Praga, a invasão da Hungria). A maioria dos teatros tinha fechado depois do êxodo dos autores que tinham escapado à prisão ou ao exílio involuntário, sem falar nos espetáculos de música proibidos. Os bares fechavam às dez (durante um mês inteiro fecharam às seis, mas alguém deve ter percebido que tanta repressão acabaria por explodir de alguma forma) e assim não restava muito além da televisão e da leitura. Mas a maioria não conseguia gastar seu tempo diante da TV ou de um livro — além do mais achar algo que valesse à pena exigia um certo esforço, evidente que a partir do golpe não se publicou nada decente, e o jeito era vasculhar os sebos e as bibliotecas em busca de volumes que tivessem escapado ao olhar dos policiais. Felizmente eles não eram muito competentes (na época corria uma piada sobre um que tinha apreendido toda uma tiragem de *A capital*, de Eça de Queiroz, numa confusão que dispensa explicações) e aqueles que como eu tinham paciência acabavam achando livros de valor (nada de Marx ou Che, naturalmente, embora não fosse impos-

95

sível, num golpe de sorte, encontrar um exemplar rasgado de Gramsci ou Rosa Luxemburgo).

Foi assim que comecei a freqüentar a biblioteca da Escola, lamentando como você a ausência de tantos livros depois da semana em que ela estava fechada para a fiscalização, calando dentro de si a vontade de perguntar por quê, de ir até o balcão e perguntar por quê, ou fingir-se de desentendida e pedir para reservar o Livro Vermelho como a cara da bibliotecária que não saberia como reagir diante de tanta ingenuidade. Você também deve ter pensado em algo parecido, a imaginação feminina funciona tão bem nessas horas, e poderíamos rir um bocado juntos de idéias assim. Mas ainda não nos conhecíamos (é quase engraçado dizer ainda, como se o que veio depois justificasse tal palavra, como se), seu nome deve ter passado uma ou duas vezes inconscientemente pelos meus olhos antes que uma súbita familiaridade despertasse a minha curiosidade, a vontade de te conhecer. No começo não foi mais que um sentimento vago e indefinido, uma espécie de tola e ingênua alegria ao descobrir que estava com você o livro do Cortázar que eu procurava. Seu nome na ficha dos leitores era já diferente dos demais, como se algo invisível nos unisse antes mesmo da consciência ou da vontade. Levei o livro para casa e estava tão feliz, por saber que durante algumas horas nos dias seguintes haveria uma boa maneira de fugir à realidade, mas também e absurdamente por saber que cada palavra tinha passado antes por seus olhos, que uma outra aluna da Escola estava trilhando o mesmo caminho escolhido por mim, a busca inútil por uma saída que em todo caso era melhor que nada.

Li o romance em uma semana, acreditando ingenuamente que seria fácil encontrar você, esquecendo que no meio de tanto silêncio seria no mínimo estranho perguntar de turma em turma se alguém a conhecia, claro que ninguém diria. Fui perdendo aos poucos essa ilusão, depois de viver duas vezes o desapontamento na saída da biblioteca, abrir o novo volume na última página e não encontrar lá seu nome. Só depois compreendi que não estava enganado, que o fio invisível continuava ali, apenas tinha mudado de sentido. Uma súbita felicidade se apossou de mim quando percebi que aquilo era apenas a outra face da mesma moeda, necessária para que você me conhecesse como eu te conhecia, como eu tinha lido o seu você lesse o meu nome numa ficha de leitores. Tudo então não era mais que uma esperança, mas às vezes a esperança vale mais que a certeza, especialmente quando o que vem depois parece confirmar e levar adiante um processo que mais cedo ou mais tarde teria que terminar no encontro, a única compensação para tanta espera ansiosa.

Senti um pouco de remorso quando voltei a folhear *O jogo da amarelinha* duas semanas depois. Um pouco como se não fosse permitida a dúvida, como se transgredisse uma certa confiança que tinha que existir entre nós (mas antes, talvez, também um pouco de medo, ver desmoronar na sua ausência uma fantasia infantil). Mas seu nome estava lá, logo depois do meu, e mesmo um estranho nos julgaria de alguma maneira unidos, afinal durante anos ninguém o tinha lido e subitamente dois empréstimos quase simultâneos, dava o que pensar. Além do mais depois de *Bestiário* e *Final de Jogo* acabava o estoque de Cortázar, evidentemente seria fácil demais se houvesse outros, persistir indefinidamente ali onde tudo se transformava em uma questão de tempo, ou de procurar em cada um a já conhecida senha, meu nome já tão familiar a você quanto a mim o seu. Talvez também você se distraísse escrevendo-o tantas vezes numa página em branco como eu fazia, talvez durante a aula de Economia (não sei porque já a imaginava como sendo do primeiro ano, talvez por não admitir a possibilidade de tanto tempo perdido caso você estivesse mais adiantada; depois descobri que só estava parcialmente enganado, ao menos o tempo não tinha sido perdido). Seguramente também terá pensado durante horas em como levar adiante o jogo, que autor escolher entre tantos; uma nova coincidência poderia demorar meses, e não tínhamos tanto tempo. Nesses dias dois alunos foram presos, o medo e a vigilância eram maiores, à aflição de todo mundo era quase injusto somar-se a nossa, tão pequena e mesquinha.

Fiquei uma semana inteira sem ir à biblioteca, depois de uma busca particularmente intensa nas estantes de literatura. Compreendi logo que a ordem de nossos movimentos era outra, que não adiantava insistir tolamente em autores argentinos quando talvez o mais coerente fosse justamente abolir toda lógica ou procurar conexões absurdas, como escolher autores que começam com determinada letra ou que tenham tantas sílabas no primeiro nome. Algo como o desespero se aproximou de mim, enquanto com a raiva da fadiga inútil já admitia que era tudo uma tolice, melhor desistir. Mas a vontade de te conhecer era maior, sem falar no medo do nada que viria depois, tão pior que aquele presente de buscas infrutíferas, de esperanças inúteis.

Quase explodia de raiva ao pensar que teria sido tão fácil um bilhete, ainda mais por tê-lo pensado, mas por um motivo ou outro apenas isso. Não servia de consolo pensar que a raiva não era só minha, que outra pessoa na escola sofria pela mesma razão, e assim reiniciar a busca foi algo que ocorreu naturalmente, sem intervenção da vontade. Quase chorei de alegria e surpresa ao reconhecer sua letra na última página do *Grande Sertão*, sem saber por quê tinha começado a vasculhar a estante de autores latino-americanos —

98

bastante desfalcada, é verdade, depois da semana em que a biblioteca esteve fechada — e já quase desistia depois de ter esgotado Borges e Carlos Fuentes e passado os olhos pelo único García Marquez sobrevivente. Foi então que o encontrei, pensando em como era incrível haver ali um autor simpático a Cuba, à outra revolução. Em casa, naquela noite, percebi que tinha sido você que sublinhara os trechos mais bonitos e que tinha escrito, com uma letra desenhada, "espero que você também goste" numa página qualquer, e em outra a confirmação de uma já esquecida esperança, meu nome escrito tantas vezes no espaço em branco. Você tomou providências para que o acaso não tornasse a nos separar, atrás da orelha deu a entender que agora viria Sartre ou Camus, não seria difícil descobrir. Lamentei que *A idade da razão* tivesse adormecido duas semanas na minha gaveta, a vontade de ler perdida ao não encontrar seu nome. Mas uma nova energia me invadiu, dois dias bastaram para que o lesse inteirinho (melhor seria dizer duas noites, uma vez que a insônia, natural numa época de tanta tensão) e o enchesse de bilhetes e comentários e anotações.

Talvez tenha sido essa a melhor fase, concordei com você quando achou que Sartre tinha sido injusto com Marcelle. Compreendi que não se referia ao seu destino, que a injustiça estava na construção mesma da personagem, uma diferença sutil que nos encheu de alegria. Senti que o mesmo não ocorreu quando ousei criticar o capítulo em que Boris pensa que Lola morreu, tão pouco Sartre a meu ver, mas depois você me fez ver que sim, que tudo se encaixava no mesmo clima. A proximidade do encontro era quase uma presença física. Lembro que voltei a reparar na aluna de olhos azuis, agora sozinha, acho que tinha brigado com o namorado. Mas já não me interessava por ela, a nova chance que sua solidão me dava era muito pouco comparada à expectativa de conhecer você. Quando enfim marquei o local e a hora, palavras que só você entenderia na orelha do último livro, começou a fase de acirramento das tensões, espécie de canto de cisne de um regime já em seus estertores. Muita gente faltou naquela semana, mas você e eu nem pensamos nisso, apesar de tantos avisos e ameaças, a pura presença na escola bastando para levantar suspeitas.

Percebi que aquele seria o pior dia logo cedo, os tanques nas ruas, a lembrança ainda recente do golpe. Demorei quase uma hora para chegar, algumas ruas estavam absurdamente bloqueadas, e o ônibus teve que parar duas vezes para inspeção. Operação de rotina, disse o guarda da segunda vez, e todos tiveram vontade de pular sobre dele, mas nesses momentos vem a lembrança da família, você sabe. Custei a compreender o que acontecia, tolamente parado diante do portão fechado, e demorei a reconhecer Ivan, a voz ofegante que tentava explicar que inacreditavelmente tinham invadido as salas e levado todos, ele para variar escapando num golpe de sorte.

Muito tempo passou desde então, durante três semanas fui lá todas as manhãs, me escondendo num café ou na banca de jornais, buscando em todas as mulheres que passavam o seu rosto desconhecido, acreditando que também você, que também você viria me procurar. Desisti no dia em que dois guardas apontaram para mim, me controlei o mais que pude ao pressentir sua aproximação, ao sentir que cravavam o olhar em minha nuca. Comecei a andar certo de que a qualquer momento a mão no ombro, a bofetada, mas eles não me seguiram, na esquina virei o rosto e vi que não me seguiam. Mais tarde veio a abertura, com o passar dos meses começaram a falar em anistia, na volta dos exilados. No início ninguém acreditou muito, mas era verdade, logo os jornais noticiavam a libertação dos primeiros presos políticos, os primeiros passos rumo à democracia. Tocar no nome dos que tinham morrido era quase uma heresia, melhor esquecê-los de vez, já que não voltariam mesmo.

Reabri a matrícula certo de que não ia levar o curso até o final: no período em que a escola esteve fechada arrumei outro emprego, e ficava difícil conciliar os horários. Acho que era mesmo a esperança de te encontrar que me levava a insistir e assistir a uma aula ou duas, passear pela biblioteca. Mas algo como a melancolia me dava a certeza de que era inútil, e quando perguntei pelo livro de Sartre que a bibliotecária não achou descobri subitamente o que tinha acontecido, que você estava na biblioteca naquele dia fatídico, que foi levada como os outros. Foi naquele momento que tive a idéia de saber como você era. Fiz amizade com a bibliotecária, e aos poucos fui conquistando sua confiança. Depois de duas semanas ela me deixou olhar as fichas, vasculhar o arquivo. Faltei ao trabalho naquele dia, mas valeu a pena, em poucas horas reconheci seu nome e sua letra no retângulo azul, e no verso, no verso conheci seu rosto, quase sem acreditar reconheci seu rosto no retrato da aluna loura de olhos azuis. Arranquei a fotografia e a guardei, era um direito meu ao menos essa lembrança.

Sei que é bobagem, mas de vez em quando ainda volto lá, acho que a bibliotecária pensa que é por causa dela — sempre paro no balcão para conversar um pouco, ela ainda é moça e bastante simpática. E quando, ao entrar na biblioteca, vejo uma mulher loura numa das mesas, ou entrando, ou saindo, dou um jeito de me aproximar e olhar mais de perto, quem sabe ela não estará pegando um livro do Cortázar, quem sabe?

Tesoura, papel e pedra

A brincadeira é simples: a tesoura corta o papel, o papel envolve a pedra e a pedra amassa a tesoura. Aí se conta até três e se esticam as mãos, é um pouco como pif-paf, só que não é tão bobo e irritante, porque quando acontece de um só dizer pif e o outro só dizer paf é um saco, e fica ainda pior quando os dois resolvem mudar na mesma hora. Aqui não, há sempre um vencedor e um vencido (ou quase sempre, visto que também é possível coincidirem duas tesouras ou duas pedras, mas a experiência e a lei das probabilidades — mais a experiência que a lei das probabilidades — demonstram que isso é muito raro de acontecer). Sem falar no contato das mãos, que geralmente não é nada demais, mas acontece que às vezes o adversário é aquela menina ruiva que mora na esquina, e aí a coisa muda de figura. Paula também é ruiva, engraçado como a análise condiciona a gente a perceber pontos de articulação entre a infância e o presente, sabe-se lá a que leis devem obedecer essas coincidências.

Quando Pedro me pediu para dar um toque em Paula eu nem podia imaginar o que ia acontecer, juro que foi com a maior inocência que perguntei se era bonita, se seu corpo era interessante. Porque nem me lembrei quem era no primeiro momento, esse mau hábito de não associar o nome à pessoa. O que é certo é que a partir daquele dia passei a prestar atenção na ruiva que estava fazendo tanto estrago no coração de Pedro. Era bonita, claro, mas também é verdade que a beleza de uma mulher aumenta na mesma proporção da quantidade de seus admiradores. No clube, no fim de semana seguinte, pude constatar que sua bunda era realmente sensacional, ainda mais com aquele biquini vermelho que visivelmente (ou, talvez, quase invisivelmente) gerava alguns comentários nas mesas dos sócios mais antigos e entre os adolescentes que só andavam em grupos (comentários de natureza diversa, naturalmente) e que combinava tão obviamente com seu cabelo. Talvez já então a atração, mas nesses casos a memória costuma nos pregar peças. Julgo que me aproximei movido basicamente pela intenção de atender ao pedido de um amigo meio sem jeito a quem eu devia alguns favores. Paula me recebeu com um daqueles sorrisos que nos dão tesão se a mulher é dos outros e nos provocam ciúme se a mulher é nossa, os lábios carnudos parecendo dois bombons...

Não sei ao certo sobre o que falamos. Todo mundo sabe como é uma boa conversa, uma coisa leva a outra, e no fim a gente olha para o relógio e percebe que o tempo passou numa velocidade sobrenatural. Foi assim na piscina, naquele primeiro dia, eu meio que hipnotizado (lembro ter pensado que era verdadeiramente incrível que não tivesse reparado nela, eu andava mesmo distraído) fazendo de conta para mim mesmo que toda aquela conversa jogada fora não era mais que um pretexto para ajudar um amigo. Não foi difícil, porque sei como me enganar, e assim Pedro foi sucessivamente trocado por comentários sobre isso e aquilo, preferências musicais e literárias, a indiferença com a política. Paula cada vez mais receptiva jogava o jogo. Claro, podemos nos ver a hora que você quiser, mas então me dê seu telefone, é claro, aqui está, me ligue. Resultado: nos separamos sem sequer tocar no nome de Pedro. Tudo bem, havia tempo, não faltariam outras oportunidades.

Hoje pode parecer natural que me sinta culpado, mas quando tudo estava rolando era difícil não pensar que só um otário muito grande não levaria adiante algo que afinal de contas fora estimulado pela própria Paula. Em outras palavras: só um otário não comeria uma mulher daquelas em nome da vaga sensação de não estar sendo legal com um amigo (evito a palavra traição). Passamos a nos ver com certa freqüência, Paula, como todas as mulheres, tentando esquecer algo que não tinha dado certo, eu, como todos os homens, movido pelo desejo e pela curiosidade. No terceiro ou quarto encontro, quando já se delineava qualquer coisa parecida com um envolvimento, resolvi limpar de vez minha consciência e tirar do silêncio algo que mais tarde podia se transformar num problema (acho que porque nessa manhã eu tinha esbarrado em Pedro no escritório, e ele me perguntou sobre Paula). Com moderada simpatia, toquei no nome de Pedro. Paula, como eu, tem dificuladade em ligar nomes e rostos, foram necessárias descrições detalhadas e lembranças de velhos episódios para que afinal ah, Pedro, sim eu o conheço e daí? Como eu já esperava, ela não revelou o menor interesse: uma mulher como ela jamais daria bola a um desajeitado como Pedro, que fica vermelho e gagueja e não sabe o que fazer quando se aproxima de qualquer coisa que use saia... Eu me sentia livre para agir.

Depois de uns três jantares e quatro ou cinco filmes (alguns totalmente incompreensíveis, outros parecendo incompletos, mas Paula achava tudo genial) consegui convencê-la a passarmos a noite juntos em sua casa, o fato de ela morar sozinha eliminava uma série de dificuldades. Na minha seria impossível, porque a qualquer momento a campanhia e Marta, e a pior coisa é trepar com medo de ser apanhado em flagrante. Chegamos tarde, depois de uma peça e um jantar. Ela simulou uma resistência, iniciando o ritual tantas vezes repetido: a mulher que se finge de difícil para aumentar o desejo do homem que a sabe fácil mas que finge que não sabe. Em meio a um desses fingimentos, me convenci de que como bom amante sabia como fazê-la mudar de idéia, em dez minutos seu vestido já estava no calcanhar e minha língua dançava dentro de sua boca, os lábios como dois bombons. A partir daí foi ela quem não me deixou mais em paz a noite toda, um sufoco. Quando fomos dormir, já era dia claro. Para resumir a história foi uma daquelas noites em que tudo parece dar certo, e que o prazer não vai mais terminar.

Ilusão, por maior que sejam o desejo e seus motivos, chega sempre o momento em que o cansaço misturado a uma certa sensação de vazio se aliam ao sono... Isso para não falar no pior, a lembrança de Marta que chega como uma bofetada na manhã seguinte, ou a mão que só encontra o travesseiro onde devia estar o rosto de Paula... Também foi assim em muitas outras manhãs, etapas de um estranho aprendizado: como me comportar com Pedro, como resolver minha situação com Marta, como afogar os problemas em orgasmos oceânicos, nas águas profundas do prazer.

Fui incapaz de traçar estratégias de alcance maior que a noite seguinte, o que equivale a dizer, de alcance maior que Paula novamente em meus braços. Marta não me criava problemas, a indefinição do estatuto de nossa relação não lhe dava direito a cobranças, embora ela insistisse em permanecer fiel a um passado onde viver era um projeto comum. Como ela nunca insistia muito em perguntar por que eu estava voltando tão tarde para casa — como se fosse possível que ela estivesse ingenuamente convencida de que de fato as reuniões e os plantões imprevistos onde sempre um telefone quebrado ou a falta de um minuto livre me impediam de avisá-la —, passei a acreditar que aquilo podia se transformar em rotina, em vida comum. Não, no fundo não. Eu sabia que ela sabia que eu mentia, que se Marta não reagia era por uma triste resignação silenciosa. Quero dizer que não estava nos meus planos tentar convencê-la, mas ao mesmo tempo que me desagradava cumprir o ritual ridículo, manter inutilmente as aparências diante de uma testemunha invisível e inconveniente.

Mas minha tolice maior foi não imaginar as variantes possíveis de uma situação que eu mesmo criara, não tentar decifrar a lógica subterrânea que permite adivinhar o próximo movimento, se agora a tesoura, provavelmente da próxima vez o papel ou a pedra. A tesoura, o papel e a pedra: o desejo de vingança que pode assumir tantas formas, o silêncio que esconde tantas armadilhas, o acaso primordial do amor e do desejo. Só conseguia ou só queria pensar no presente que Paula preenchia tão sensualmente. Um presente que durou mais ou menos um mês, depois do qual ingressamos com naturalidade num processo de gradual afastamento que — eu sentia — me devolvia lentamente a Marta. Paradoxalmente, o que antes me parecera cansativo — a tranqüilidade fácil ao seu lado, a relação segura mas sem paixão — agora me voltava à lembrança como costuma voltar à lembrança a felicidade. Chegava a rir sozinho de pensar como essa vida é mesmo louca e que a gente não tem nenhum controle sobre ela. Mas sequer imaginava que os acontecimentos seguintes confirmariam tão cruelmente essa idéia.

Coisas assim acontecem todos os dias, pensei, mas o duro mesmo era que fosse Pedro o causador secreto do distanciamento de Paula, distanciamento que eu já sabia atribuir a mim, a ela e à própria natureza rápida e inconseqüente da relação. Nem tão rápida, nem tão inconseqüente. Quase não compreendi o que via ao ver Paula pela primeira vez conversando com Pedro, não queria acreditar que aquele sorriso não era dirigido a mim, mas a ele, e que fosse ele, e não eu, quem estava diante dela quando ela se aproximou, molhou nos lábios com a ponta da língua e ficou na ponta dos pés para lhe sussurar alguma coisa no ouvido. Impossível negar, senti ciúmes, descobrindo com certa surpresa que uma parte de mim já fazia cobranças a Paula, como se entre nós dois algum compromisso além do tesão. Mas que ela me trocasse por Pedro permaneceu uma hipótese inverossímil até aquela noite, quando ao invés do desmentido a voz novamente irresistível de Paula trouxe a cínica confirmação do que já estava evidente, que não íamos mais nos encontrar, que ela estava apaixonada por outro. Pedro? Sim, Pedro. Minhas mãos ridicula e inutilmente tentaram abraçá-la, derrotado pelas palavras eu só podia reagir de uma forma física, tentando beijá-la, tocar novamente aquela bundinha suculenta, aqueles seios e não, melhor não. A voz de Paula se confundiu com a de minha própria consciência, que tentava me convencer de que o silêncio indiferente seria a saída mais digna diante de uma mulher tão vulgar.

Consolava-me saber que em casa Marta com a ternura e a serenidade de sempre, ainda que essa expectativa viesse ligeiramente envenenada pela raiva que sentia por Paula. A princípio nenhuma novidade, Marta aceitava minha presença agora quase permanente com a mesma naturalidade com que tinha aceitado tantas ausências. Apesar de algumas noites em claro pensando em como seria insuportável o olhar de superioridade e vingança que Pedro fatalmente me dirigiria quando nos encontrássemos no trabalho, aos poucos fui me habituando à idéia de que Paula era passado, uma mulher a mais, particularmente gostosa, mas traçada e afastada como tantas outras. Nada de comparável a Marta, Marta sinônimo de segurança, de porto seguro, de repouso do guerreiro. Os homens preferem as ruivas, mas se casam com as morenas.

Não vale a pena prolongar demais algo que seria apenas a repetição do já descrito, com a diferença que dois personagens trocaram de papel. Pedro fascinado como eu (e até antes de mim) pela sensualidade de Paula, Pedro mordendo lábios como eu já havia mordido eram imagens instantâneas que me ocorriam durante o dia, mas que me perturbavam cada vez menos. Porque, afinal de contas, não havia nada de ilógico nisso, como não havia nada de ilógico no fato de eu evitar ir ao clube nos dois finais de semana seguintes — quando, estranhamente, Marta disse que tinha vontade de ir, porque o sol e a piscina, e suas pernas brancas. Disse que fosse sozinha, eu ficaria em casa lendo ou vendo televisão, preenchendo de alguma maneira as horas vazias de Paula e, inusitada e provisoriamente, de Marta.

Mais duas semanas e já não me importava Pedro, já não me importava Paula, pouco me interessava saber se estavam bem ou mal. Numa manhã em que casualmente esbarrei com os dois na rua, percebi ou adivinhei que ela já devia estar aprontando outra das suas, porque Pedro estava com cara de poucos amigos. Ela também, mas com algo de sofrido que não combinava bem com seu rosto. Cumprimentei-os friamente e segui meu caminho. Era o destino que estava aprontando outra das suas, e não era com Pedro. Era comigo.

Interessante pensar que quase tudo de importante que a gente faz na vida é assim, baseado em suposições, em assumir riscos que se analisados objetivamente seriam a loucura ou a irresponsabilidade mais leviana. Não, apesar de ser mais que natural que Paula fisesse com Pedro o que fez comigo, ela não estava fazendo nada, e sim Pedro. Era ele quem não queria mais,

108

e ela revoltada e desorientada como toda mulher a quem se diz não resistia, não podia admitir que terminassem assim, daquela maneira. Alguém dirá que fiquei contente, que secretamente me sentia vingado, mas não. Em meu novo envolvimento com Marta — que eu supunha definitivo — não havia espaço para sentimentos assim, voluntariamente eu me educava para uma suposta maturidade afetiva, feita de um amor que implicava fidelidade até nos pensamentos. Em todo caso, não tive chance para sentir aquele secreto prazer. Talvez, se tivesse descoberto por outros meios — mas aqui, justamente, eram os meios que importavam. Sim, porque fiquei sabendo de tudo através de Marta, numa bela tarde as malas prontas sobre a cama e eu tolamente perguntando se ia viajar. Vai viajar?, perguntei tolamente, e a resposta, comprendi antes mesmo de compreender o que ela dizia, foi a vingança por antes, a variante ignorada de um jogo que, afinal de contas, eu mesmo comecei. Preferia que Marta chorasse, ou me batesse, sei lá. Só sei que ela não ia viajar. Estava se mudando para a casa de Pedro.

Pouco adianta descrever a surpresa, a raiva de mim mesmo por não ter pressentido que atrás de tanta resignação e silêncio devia se esconder um lento desejo de ir à forra. Pouco adianta qualquer palavra diante da solidão ressentida que se prolonga indefinidamente, da solidão irremediável que tento afogar no uísque enquanto o passado retorna em ondas cada vez maiores, desde uma infância que eu julgava perdida de tão remota e tola. Foi assim que me lembrei da brincadeira da tesoura, papel e pedra, e da menina ruiva que morava na esquina e que me deixava vermelho cada vez que envolvia sua mão na minha.

Todas as histórias de amor terminam mal
foi fotocomposto na
AGE — Assessoria Gráfica e Editorial Ltda.,
utilizando o tipo Garamond, e impresso na
Editora Gráfica Metrópole S.A. para a
Organização Sulina de Representações S.A.
Porto Alegre, abril de 1990.